# LO MEJOR DE

# LA COCINA INTERNACIONAL

# FRANCIA

*Las 100 mejores recetas de.*
HERMANAS SCOTTO

*Texto*
GILLES PUDLOWSKI

*Fotografías*
PIERRE HUSSENOT
PETER JOHNSON
LEO MEIER

AGUILAR

© 1994, Weldon Owen Inc.
814 Montgomery Street, San Francisco, CA 94133 USA

Presidente: John Owen
Editora: Jane Fraser
Encargada de proyecto: Ruth Jacobson
Editora: Janet Mowery
Asistente editorial: Kim Green
Índice: Ken DellaPenta
Director de arte y diseño: John Bull
Diseño interior: Ruth Jacobson
Ilustración en color: Nicole Kaufman
Producción: James Obata y Stephanie Sherman
Producción culinaria: Peter Johnson, Pierre Hussenot
Producción fotográfica: Janice Baker, Laurence Mouton

De esta edición:
D.R. © 1994, Aguilar, Altea, Taurus,
Alfaguara, S.A. de C.V.
Av. Universidad 767, Col. del Valle
C.P. 03100, México, D.F.
Traducción de las recetas:
Colección Cocinas del Mundo,
*Anaya grandes obras,* Madrid.
Tipografía: Diagrama Casa Editorial, S.C.
Cuidado de la edición: Marisol Schulz

ISBN 968-19-0194-0

La serie *The Beautiful Cookbook*® es una
marca registrada de Weldon Owen Inc.
Impreso por Mandarin Offset, Hong Kong
*Printed in Hong Kong*

Arriba: En las ciudades portuarias como La Rochelle, se apetece una comida con un *plateau de fruits de mer,*
plato con mariscos crudos y cocidos, de cuya frescura podemos estar seguros.
Páginas 4-5: Calabacines horneados con tomate y queso (receta en la página 95),
Flores de calabaza rellenas (arriba a la derecha, receta en la página 95), y Frituras de verduras
(al frente, al centro, receta en la páginas 93), Fotografiados en Provenza.
Páginas 8-9: El Loir, tributario del famoso río de Loira,
atraviesa la pequeña aldea de Les Roches L´Evêque.
Fotografías de Pierre Hussenot/Agencia: páginas 2, 4-5, 8-9.
Fotografías de Peter Johnson: páginas 6, 10, 14-15, 34, 48, 50, 62, 83, 97, 106, 109.
Fotografía de Leo Meier: página 20.

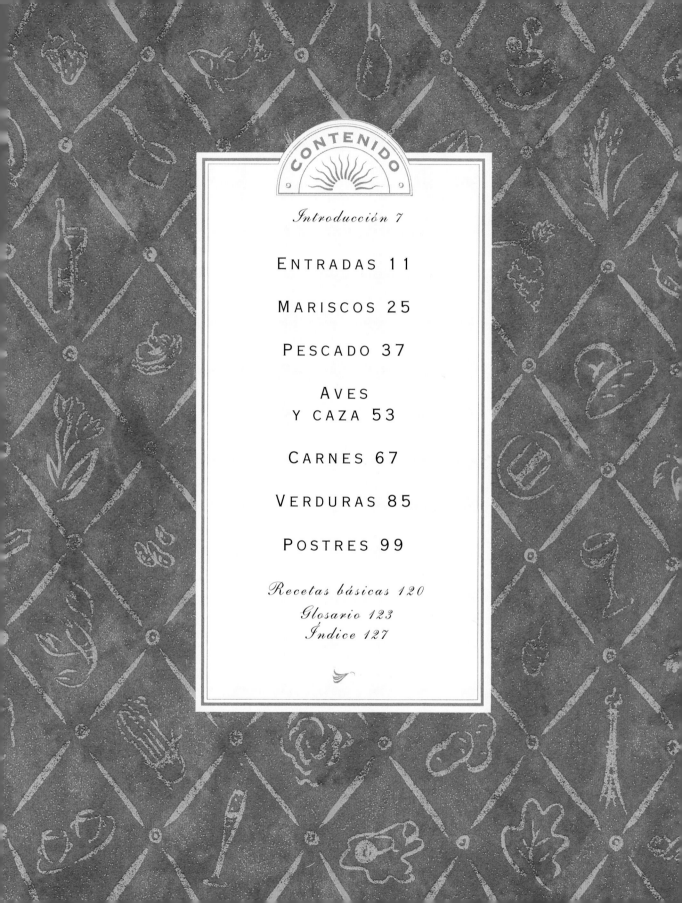

## CONTENIDO

# INTRODUCCIÓN

FRANCIA, ADMIRABLE PAÍS multicolor. Quien recorre sus caminos sinuosos y se aventura por sus senderos, se topa con arbustos llenos de color, con miles de aromas, como el de la hierba recién cortada.

En Francia todo acaba en una espléndida comida. Desde Flandes al País Vasco, desde Normandía a Niza, desde las Ardenas a Bigorre, el hermoso país hexagonal es una tierra de sabores inigualables. Este libro no es más que el testimonio de una riqueza infinita: la de las tradiciones regionales celosamente conservadas, a pesar de las nuevas divisiones y de las borrosas fronteras de las antiguas provincias, que delimitan tanto paisajes y ambientes diferentes como sabores exquisitos y excelentes productos.

En el este predominan la cerveza y los embutidos mientras que en el sur se prefiere a las verduras y las hortalizas. No sería difícil distinguir dos Francias: la de la mantequilla y la del aceite, que corresponderían, más o menos, con el norte y el sur. La mantequilla para dorar longanizas y aves; el aceite para acariciar el pescado del Mediterráneo. Aceite de oliva en el sureste y de nueces en el suroeste.

El gusto de los franceses por la cocina siempre se ha manifestado con fuerza. A los aromas exóticos sucede el gusto por las hortalizas del país: cebollas, chalotas, ajo o rocambolas. Se honra a las setas y se coloca a las trufas en un pedestal. Las salsas ácidas y sazonadas de la Edad Media ceden su puesto a las grasas que invaden los platos. La mantequilla irrumpe en la cocina.

Los textos clásicos de finales del siglo XVII -como *Le Cuisinier François*- recomiendan el uso de productos naturales, de hortalizas crujientes, como los espárragos, y la cocción *al dente*.

El siglo XIX, que verá la eclosión de los grandes restaurantes parisinos (Café de Foy, Café Français), será también el siglo de la riqueza culinaria: platos complicados, incluso ornamentales, en cualquier caso con mucha salsa.

"Redescubrir el gusto de ayer con la técnica de hoy", ése podría ser el lema de la cocina actual. Mientras, el fenómeno de la renovación regional sacude a las provincias, y llega a la capital: sus principales cocineros se complacen en imitar la cocina casera.

La Francia de finales del siglo XX ha realizado una sabia síntesis de todas sus tradiciones: las diferentes cocinas regionales, la cocina burguesa, que devuelve su prestigio a los viejos platos preparados a fuego lento *(blanquette, daube, navarin, pot-au-feu)*, que conserva celosamente las grandes recetas clásicas del país. Tanto la bullabesa de Marsella, el alioli de Provenza, la *bourride* del Midi o el *cassoulet* del suroeste, como la oca en conserva y el *foie gras* del Périgord, la *choucroute* de Alsacia, a *potée* de Lorena, los callos de Normandía y el *aligot* de Auvernia son algunas de esas "obras maestras" culinarias que el año 2000 debe conservar y promover como testimonios del genio francés.

TARTA DE ACELGAS (ARRIBA, RECETA EN LA PÁG. 117), OREILLETES (DERECHA, RECETA EN LA PÁG. 102) Y TARTA DE LIMÓN (ABAJO, RECETA EN LA PÁG. 114)

# ENTRADAS

HOY, UNA TÍPICA COMIDA francesa se compone de una entrada, de un plato principal, de queso y un postre.

Todos los grandes cocineros franceses juegan muy hábilmente con los platos calientes y fríos. Las entradas calientes pueden ser tortas, *quiches, patés, hures* y *soufflés.* Comúnmente se recurre a *patés,* gelatinas y otros ingredientes destinados a "enriquecer" los productos ofrecidos por la tierra, platos nutritivos, refinados, que exigen generalmente preparación, si no complicada, sí elaborada. En las entradas no siempre se utilizan las carnes y pescados que por lo general forman parte de los platos principales.

Los huevos se preparan de muy diversas maneras, dependiendo de la región en donde uno se encuentre: la *pipérade* con pimientos en el País Vasco y la tortilla con trufas en Provenza y Tricastin; los *œufs en meurette* con vino de Borgoña en Berry, son un buen ejemplo de la diversidad de las preparaciones que proporciona a un mismo ingrediente la cocina francesa.

A menudo son las hortalizas las que marcan la diferencia: los tomates, los calabacines, las aceitunas, los pimientos y las berenjenas contrastan con las coles, las remolachas y las patatas de norte y del este. Las alcachofas del Midi, a la *barigoule,* contrastan con las alcachofas bretonas, que se toman sencillamente a la vinagreta. Los espárragos de Vaucluse, del Valle de Loira o de Alsacia, sean verdes y pequeños o largos y blancos, se comen invariablemente con salsa *mousseline,* mayonesa o vinagreta, mientras que en el este se servirán acompañados de jamón. Por lo general, las entradas que se sirven al norte del Loira, esa línea divisoria de la Francia culinaria y climatológica, son más fuertes, más nutritivas, más abundantes que en el sur. Pero todo depende de la estación.

Algunas entradas se han convertido en platos propiamente dichos, como el *foie gras,* que se sirve a modo de entremés y que, frito, caliente y acompañado de frutas también fritas, constituye una entrada muy sabrosa; o como las pastas con relleno de carne, como los raviolis, que, cuando se sirven copiosamente pueden convertirse en el plato principal de una comida. A la inversa, ciertos platos, se han convertido en entradas ligeras. Es el caso de los pescados en escabeche o el de las carnes crudas como la de buey, preparadas al estilo italiano llamado *carpaccio.*

Algunas regiones son conocidas por acumular entradas y predisponer a las comidas nutritivas y abundantes. Es el caso de Périgord o Alsacia, que comparten su gusto por el *foie-gras,* cuyo invento se atribuyen ambas.

Otras pequeñas regiones francesas han conservado, por el contrario, la tradición de las entradas frescas y ligeras. Suelen ser regiones marítimas para las que tanto las ensaladas como los mariscos constituyen las entradas más naturales y deliciosas.

SOPA DE CALABAZA (RECETA, EN LA PÁG. 21)

CREMA DE ACEITUNAS

# TAPENADE

CREMA DE ACEITUNAS

*El nombre de este plato se deriva de la palabra* tapeno, *que es como se llama en Provenza a las alcaparras. Las alcaparras de Tolón son, en efecto, un ingrediente indispensable de este sabroso condimento.*

400 gr de aceitunas negras
 en salmuera
6 anchoas en salazón
3 cucharadas de alcaparras en vinagre
1 diente de ajo
1½ dl de aceite de oliva extravirgen
2 cucharaditas de mostaza de Dijon
2 cucharadas de coñac
pimienta

✤ Deshuesar las aceitunas. Lavar muy bien las

anchoas bajo el grifo, quitarles las espinas y cortarlas en trocitos. Enjuagar las alcaparras en agua abundante y escurrirlas bien. Pelar el ajo y partirlo en dos o tres trozos.

✤ Mezclar con una batidora todos estos ingredientes y añadir la mitad del aceite, la mostaza, el coñac y la pimienta. Continuar batiendo hasta obtener una pasta espesa y añadir el resto del aceite, sin dejar de batir. Cuando la pasta quede fina y homogénea, verterla en un tazón.

✤ Se sirve con rebanadas de pan de hogaza, de trigo o de centeno, recientes o tostadas. Se puede conservar varios días en un tarro cerrado.

6 personas

# ANCHOÏADE

CREMA DE ANCHOAS

12 anchoas en salazón
6 dientes de ajo
3 chalotas nuevas
6 ramitas de perejil
1 cucharada de vinagre de vino tinto
2 dl de aceite de oliva extravirgen
unas rebanadas de pan tostado
hortalizas crudas, como apio, coliflor, rábano,
 hinojo, pimiento, alcachofas, etc.

✤ Lavar bien las anchoas bajo el grifo, quitándoles toda la sal. Hacerlas filetes quitándoles las espinas y cortar cada filete en trocitos. Pelar y picar el ajo y las chalotas, así como el perejil.

✤ Con una batidora mezclar las anchoas con el ajo, las chalotas y el vinagre, hasta obtener una pasta. Añadir el aceite despacio, en fino chorrito, sin dejar de batir; agregar el perejil y mezclar un poco más. La *anchoïade* se sirve sobre rebanadas de pan tostado o acompañada de hortalizas crudas, vaciadas y cortadas en tiritas —apio, hinojo, pimiento, etc.—, que se mojan en ella antes de degustarlas.

6 personas                    *Fotografía en las págs. 18-19*

*Provenza*

## SOUPE AU PISTOU

SOPA DE VERDURAS CON ALBAHACA

*En dialecto provenzal,* pistou *no significa albahaca, sino* pilé *—el* pesto *italiano de origen genovés— una pasta hecha a base de albahaca y ajo y condimentada con aceite de oliva. Esta sopa se hace en toda la costa mediterránea, en verano, cuando las judías frescas llegan a los mercados. Cada familia tiene su receta preferida, y se suelen utilizar diferentes verduras. Pero todas ellas tienen en común esta pasta ligera, de incomparable sabor, que se añade a la sopa antes de servirla.*

1 kg de judías para desgranar o ½ kg de
    alubias secas ya remojadas
250 gr de habas tiernas
125 gr de judías verdes (ejotes)
250 gr de calabacines (calabacitas) pequeños
2 dientes de ajo
250 gr de patatas (papas)
250 gr de tomates (jitomates) maduros
2 cebollas medianas
1 ramita de albahaca
sal

PARA EL *PISTOU*:
250 gr de tomates (jitomates) maduros
4 dientes de ajo
1 buen ramo de albahaca (100 gr)

1 dl de aceite de oliva

EN EL MOMENTO DE SERVIR:
100 gr de pasta de sopa
100 gr de queso emmenthal o parmesano
    recién rallado

❧ Desgranar las judías y las habas, y quitarles el hollejo. Quitar las hebras de las judías verdes, lavarlas y escurrirlas, lavar los calabacines y quitarles las puntas y los rabos. Cortarlos a lo largo en cuatro y después en cubitos de ½ cm de grosor. Aplastar el diente de ajo con el mango de un cuchillo. Pelar las patatas y cortarlas en cubitos de 1 cm. Escaldar los tomates y refrescarlos luego bajo el grifo de agua fría. Pelarlos, cortarlos en dos, retirar las semillas y aplastar la pulpa un poco.

❧ Poner todas las verduras con el ajo, la cebolla y la albahaca en una cacerola de 4 l y cubrirlas con abundante agua fría. Llevar la cacerola al fuego y cuando hierva salar, tapar y dejar cocer 1 h suavemente.

❧ Mientras tanto se prepara el *pistou:* para ello se escaldan los tomates como antes, se pelan y la pulpa se pone a escurrir en un colador. Los dientes de ajo se pelan y se parten en cuatro. La albahaca se lava, se seca y se le quitan los tallos. Todos estos ingredientes se mezclan en la batidora con el aceite hasta obtener una especie de puré frío.

❧ Cuando la sopa esté hecha, sacar el ajo y la ramita de albahaca. Añadir la pasta y dejarla hervir. Cuando la pasta está cocida, se pasa la sopa a una sopera, se añade el *pistou,* mezclando bien y se sirve inmediatamente, presentando el queso aparte.

6 personas                    *Fotografía en las págs. 18-19*

*Borgoña*

# CORNIOTTES

TRICORNIOS

250 gr de queso blanco, escurrido
sal y pimienta
125 gr de crema de leche concentrada
200 gr de queso emmenthal
2 huevos enteros y una yema
500 gr de pasta quebrada (pág. 120)

✤ Poner el queso en un recipiente y machacarlo con el tenedor, añadiendo la sal, la pimienta y la crema. Mezclar bien. Añadir el queso, rallado gruesamente, mezclar e incorporar los huevos.
✤ Encender el horno a 215°C. Extender la pasta con el rodillo, dándole un espesor de 3 mm y cortar 26 discos de unos 10 cm de diámetro.
✤ Sobre los discos se van poniendo porciones generosas de relleno, del tamaño de una nuez; después se mojan los bordes de cada uno con agua fría y se levantan hacia arriba por tres lados, formando pequeños tricornios. Se presiona la pasta con los dedos para que no se salga el relleno y los bordes queden con buena forma. Se colocan los tricornios en dos placas de horno y, con un pincel, se bañan con la yema batida con una cucharada de agua.
✤ Se cuecen en el horno unos 25 min., hasta que estén bien dorados. Se sirven calientes o templados.

6 personas

*Lyonnais*

# CERVELLE DE CANUT

SESOS DE TEJEDOR

*Éste es un plato típico de los* machôns, *las tabernas de Lyon. La palabra* machôn *designaba antiguamente un refrigerio que se tomaba a media mañana. Se conoce también como* claqueret, *palabra que se deriva de la expresión* claquer le fromage, *es decir, batir el queso.* Canut *era el nombre que se daba a los tejedores de seda, representantes durante mucho tiempo de una genuina tradición culinaria.*

2 quesos blancos escurridos para que suelten
    el suero
3 cucharadas de vino blanco seco
2 cucharadas de aceite de oliva
3 cucharadas de vinagre de vino añejo
2 chalotas
6 ramitas de perejil
6 ramitas de perifollo
10 ramitas de cebollino
2 dl de crema líquida muy fría
sal y pimienta

✤ Doce horas antes de preparar el *cervelle de canut,* dejar que los quesos se escurran bien. Machacarlos con un tenedor, añadir el vino, el aceite y el vinagre, y mezclar.
✤ Pelar las chalotas y picarlas finamente. Las tres hierbas se lavan, eliminando los tallos del perejil y el cebollino, y se pican muy menudito.
✤ Batir la crema hasta que quede firme e incorporarla al queso, removiéndolo con una espátula de goma; añadir las hierbas, la sal y la pimienta.
✤ Meterlo en el frigorífico y servirlo, con rebanadas de pan de hogaza, de trigo o centeno.

6 personas

TRICORNIOS (IZQUIERDA) Y
SESOS DE TEJEDOR (DERECHA)

*Costa Azul*

## PISSALADIÈRE
PISSALADIÈRE

*El nombre procede del vocablo dialectal nizardo pissa-lat, que significa puré de anchoas sazonado con tomillo, clavo, hinojo y un poquito de aceite de oliva. Pero esta combinación es estrictamente local y se suele sustituir por unos filetes de anchoas.*

2 kg de cebollas
4 dientes de ajo
4 cucharadas de aceite de oliva extravirgen
sal
400 gr de masa de pan (receta pág. 121)
16 filetes de anchoa en aceite
125 gr de aceitunas de Niza

✤ Pelar las cebollas y cortarlas longitudinal-mente en tiritas finas. Pelar y picar los ajos. En una sartén que no se pegue se calienta el aceite. Se añaden el ajo y las cebollas y se rehogan 10 min. a fuego lento, hasta que la cebolla empiece a dorarse. Añadir 2 cucharadas de agua y la sal, tapar y dejarlo cocer muy suavemente ½ h, hasta que la cebolla esté transparente y muy blanda. Si fuera necesario, se puede agregar algo más de agua a la sartén durante la cocción.
✤ Encender el horno a unos 215°C. Extender la masa de pan con el rodillo. Engrasar con un poquito de aceite una placa de 35 x 22 cm, o un molde de tarta de 30 cm de diámetro, y forrarlo con la pasta. Colocar encima la cebolla; ador-nar con filetitos de anchoa formando rombos y con aceitunas. Regarlo con unas gotas de aceite de oliva y cocer en el horno 30 min.
✤ La *pissaladière* se sirve caliente o templada, cortada en pequeñas porciones.

6 personas

*Valle del Loira*

## TOURTE AUX HERBES
TARTA DE VERDURAS

*Esta receta es una especialidad de Tours.*

500 gr de espinacas
250 gr de acederas
250 gr de acelgas
    (sólo la parte verde)
1 cogollo de lechuga
60 gr de mantequilla
sal y pimienta
500 gr de patatas (papas)
1 ramito de perejil
1 ramito de estragón
2 dientes de ajo
500 gr de hojaldre
    (receta pág. 122)
1 yema de huevo
250 gr de crema de leche
    concentrada

✤ Lavar y escurrir todas las verduras de hoja y trocearlas un poco. Rehogarlas en una sar-tén con la mitad de la mantequilla y salpimen-tarlas. Dejarlas 5 min. a fuego lento removien-do a menudo, hasta que dejen de soltar agua. Reservar.
✤ Pelar y lavar las patatas y cortarlas en rodajas de ½ cm de espesor. Rehogarlas con el resto de la mantequilla durante 15 min., hasta que se doren. Añadir las hierbas aromáticas y el ajo, todo muy picadito, y sazonar con sal y pimienta. Después de 2 min. se retira del fuego.
✤ Encender el horno a 215°C. Dividir la pasta en dos partes. Una con dos terceras partes de ella y la otra con el tercio restante. Con el trozo mayor forrar un molde o una chapa de 30 x 15 cm. Distribuir encima la mitad de las pa-

tatas, dejando 2 cm sin cubrir todo alrededor; sobre ellas la mitad de las verduras, luego el resto de las patatas y por último las verduras que quedan. Con el otro trozo de pasta, formar un rectángulo menor que el primero y cubrir el pastel, soldándolo por los bordes con los dedos.

❧ Batir la yema de huevo con una cucharada de agua y extenderla con un pincel por toda la superficie de la tarta. Hay que hacer 2 agujeritos con unos canutos de papel vegetal o de aluminio. Meter el molde en el horno 45 min., hasta que se dore.

❧ Mientras tanto, la crema se salpimienta y cuando la tarta esté cocida se echa dentro por las dos chimeneas. Se deja reposar 10 min. y se sirve.

6 personas

*Lyonnais*

# TATRE DES ALLYMES
## TARTA DE ALLYMES

*La tâtre (palabra regional para tarta) es una especialidad del pueblo de Allymes. Se hace también con pasta quebrada.*

500 gr de cebollas
2 cucharadas de aceite de cacahuete
125 gr de queso fresco o requesón, previamente escurrido en un colador para quitarle el suero
sal y pimienta
4 pizcas de nuez moscada rallada
125 gr de crema de leche concentrada

2 huevos
400 gr de masa de pan (receta pág. 121)

❧ Pelar las cebollas y partirlas longitudinalmente en tiras muy finas. Calentar el aceite en una sartén amplia y rehogar en él la cebolla durante 10 min. a fuego lento, hasta que empiece a dorarse. Reservar.

❧ Poner el queso en una ensaladera y machacarlo con un tenedor, añadiendo sal, pimienta, nuez moscada y la crema, y por último los huevos batidos y las cebollas, mezclándolo todo bien.

❧ Encender el horno a 215°C. Extender la masa de pan con el rodillo. Engrasar ligeramente una placa de horno y cubrirla con la masa. Distribuir encima las cebollas y cocer la tarta en el horno durante ½ h, hasta que esté dorada. Servir caliente.

6 personas

PISSALADIÈRE (ARRIBA), TARTA DE ALLYMES (ABAJO IZQUIERDA) Y TARTA DE VERDURAS (ABAJO DERECHA)

# PETITS FARCIS PROVENÇAUX
### VERDURAS RELLENAS A LA PROVENZAL

3 berenjenas de unos 200 gr cada una

3 calabacines (calabacitas) de unos 100 gr
cada uno

6 tomates (jitomates) medianos, maduros
pero duros

6 cebollas de 100 gr cada una

500 gr de carne de ternera sin hueso y
desengrasada

100 gr de panceta fresca

2 dientes de ajo

10 ramitas de perejil

2 ramitas de tomillo

2 cucharadas de arroz hervido

50 gr de queso parmesano
recién rallado

2 huevos

3 cucharadas de aceite de oliva extravirgen

sal y pimienta

❦ Lavar las berenjenas y los calabacines. Cortarlos en dos a lo largo y sacarles la pulpa, dejando ½ cm de carne junto a la piel. Hacer lo mismo con los tomates, quitándoles la parte de arriba y vaciándolos con una cucharita. Proceder de igual manera con las cebollas, haciéndoles un hueco en el centro. Todas estas hortalizas se salpimientan y se rocían ligeramente de aceite.

❦ La pulpa de todas ellas se pica finamente, lo mismo que la carne, la panceta y los ajos.

❦ En una sartén, con una cucharada de aceite, se rehogan todos estos ingredientes durante 5 min. a fuego moderado. Cuando la mezcla empiece a dorarse, se pasa a un recipiente y se deja enfriar.

❦ Encender el horno a 200°C. En una fuente de horno, ligeramente engrasada con aceite, se ponen todas las hortalizas, procurando que queden apretadas unas contra otras.

❦ Añadir al picadillo que tenemos preparado, el perejil muy picado, el tomillo, el arroz, el queso rallado, los huevos, la sal y la pimienta.

VERDURAS RELLENAS A LA PROVENZAL (CENTRO DERECHA), ENSALADA NIZARDA (CENTRO IZQUIERDA, RECETA DE LA PÁG. 21),
SOPA DE VERDURAS CON ALBAHACA (CENTRO, RECETA EN LA PÁG. 13) Y CREMA DE ANCHOAS (RECETA EN LA PÁG. 12)

Se mezcla todo muy bien hasta obtener una preparación homogénea, que se reparte en las hortalizas vaciadas. Se rocían con el resto del aceite y se ponen 4 cucharadas de agua en el fondo de la fuente.

✤ Se meten 45 min. al horno, regándolas de vez en cuando con el jugo que sueltan. Si se secaran demasiado, añadir un poco más de agua.

✤ Cuando estén en su punto, se sacan y se colocan en una fuente, regándolas con su propio jugo y se sirven enseguida.

6 personas

RAVIOLIS

*Córcega / Costa Azul*

# RAVIOLIS

RAVIOLIS

*Tradicionalmente, el relleno de estos raviolis se prepara con carne de vaca (res) sobrante, guisada con salsa de tomate:* daube. *Se puede preparar también con ternera ligeramente dorada en aceite y luego picada.*

PARA LA PASTA:
300 gr de harina
2 huevos
2 cucharadas de aceite de oliva
sal

PARA EL RELLENO:
500 gr de acelgas (sólo la parte verde)
750 gr de carne de vaca ya cocida
50 gr de queso parmesano recién rallado
1 huevo
sal y pimienta

EN EL MOMENTO DE SERVIR:
salsa de tomate (jitomate)
queso parmesano recién rallado

❧ Para preparar la pasta se tamiza la harina con la sal sobre una mesa. En el centro se forma un hoyo en el que se ponen los huevos y el aceite. Trabajando rápidamente con los dedos del centro al exterior se incorpora la harina hasta formar una pasta homogénea, aplastándola y dándole forma de bola hasta que se vuelva elástica y se despegue de los dedos. Se mete entonces en una bolsa de plástico y se deja reposar 30 min. en un lugar fresco.

❧ Se prepara el relleno: picar la carne y mezclarla con el huevo y el queso. Las acelgas se hierven 30 min. y después se escurren muy bien. Cuando se enfrían un poco, se pican finamente y se mezclan con la carne.

❧ La pasta se divide en dos partes iguales, que se extienden en forma rectangular. Sobre el primer rectángulo se va repartiendo el relleno con una cucharita, formando montoncitos separados 2 cm entre sí. Después se va pasando por estos espacios un pincel mojado en agua fría y se cubre en seguida con el otro rectángulo de pasta. Se va apretando bien todo alrededor para que las dos hojas de pasta se peguen. Luego se cortan los raviolis con un cuchillo o un cortapastas.

❧ Los raviolis se cuecen en abundante agua hirviendo con sal durante 5 min. Se escurren y se ponen en una fuente honda, mezclados con la salsa de tomate y espolvoreados de parmesano. Se sirven inmediatamente.

6 personas

*Provenza*

# SALADE NIÇOISE
ENSALADA NIZARDA

*Este plato, típicamente meridional, se prepara con hortalizas crudas, atún, ajo, albahaca y aceite de oliva.*

6 huevos
500 gr de habas tiernas (cocidas) (ver glosario)
500 gr de tomates (jitomates) maduros
    pero duros
1 pepino pequeño
2 tallos tiernos de apio
1 pimiento rojo de 150 gr
2 alcachofas pequeñas
3 cebolletas
12 filetes de anchoa en aceite de oliva
150 gr de atún en aceite de oliva
1 diente de ajo
50 gr de aceitunas de Niza
12 hojas grandes de albahaca
½ limón
1 dl de aceite de oliva extravirgen
sal

❧ Cocer los huevos 10 min., pelarlos y cortarlos en 4 trozos.

❧ Desgranar las habas y quitarles el hollejo. Lavar los tomates y partirlos en 8 trozos. El pepino se lava y se corta en rodajas finas. El apio se limpia de hebras y se corta en tiritas finas. El pimiento se corta también en laminitas muy finas.

❧ Las alcachofas se limpian quitando todas las hojas duras y las puntas. Cada una se parte en cuatro y se frotan los trozos con limón. Las cebolletas se cortan finamente.

❧ Cada anchoa se parte en dos y el atún se escurre de aceite y se desmenuza. Con el diente de ajo pelado se frota una fuente honda y en ella se disponen todas las hortalizas, se adornan con las anchoas, el atún, las aceitunas y el huevo duro. Se espolvorea con las hojas de albahaca muy picada y con sal. Se rocía de aceite y se sirve inmediatamente.

6 personas                    *Fotografía en las pág. 18-19*

*Flandes*

# SOUPE DE POTIRON
SOPA DE CALABAZA

4 puerros (solo la parte blanca)
750 gr de pulpa de calabaza
50 gr de mantequilla
¾ l de caldo de pollo
sal y pimienta
¼ l de leche

❧ Lavar los puerros y cortarlos en rodajitas finas. Cortar la calabaza en cubos de 2 cm. Fundir la mitad de la mantequilla en una cacerola de 4 l y rehogar en ella los puerros unos 5 min., hasta que empiecen a dorarse, removiéndolos con una espátula. Añadir la calabaza, el caldo, la sal y la pimienta.

❧ Dejarlo cocer una ½ h, hasta que la calabaza esté muy blanda.

❧ Pasarlo por la batidora hasta obtener un puré fino. Recalentar esta crema a fuego lento y añadir el resto de la mantequilla y la leche. Remover y retirar del fuego.

❧ Verter la sopa en una sopera y servirla enseguida.

6 personas                    *Fotografía en la pág. 10*

*Borgoña*

# OEUFS EN MEURETTE
HUEVOS AHOGADOS EN VINO

*En Borgoña, el término* meurette *se aplica a toda preparación culinaria hecha a base de vino tinto; se puede utilizar con pescado, carne o huevos.*

3 chalotas
2 zanahorias de 100 gr cada una
½ l de vino tinto de Borgoña
150 gr de mantequilla
12 huevos
3 dl de vinagre de vino tinto
sal y pimienta

✤ Pelar las chalotas y las zanahorias y picarlas muy menudas. Ponerlas en una cacerola con el vino. Cuando hierva, dejarlo reducir durante 5 min. a fuego vivo.
✤ Seguidamente bajar el fuego todo lo posible y añadir la mantequilla en trocitos, batiendo vigorosamente. Colar esta salsa en un cacito y reservarla al calor (al baño maría, por ejemplo).
✤ Para los huevos se calientan 2 l de agua en una sartén grande y se añade el vinagre. Los huevos se cascan en un recipiente y cuando el agua empieza a hervir se pasan con cuidado a la sartén. Se vuelven despacio con una espumadera para que la clara cubra la yema. Deben hervir 4 min. Después se escurren sobre un paño, quitando los hilillos de clara que sobresalgan para que tengan buena presentación y forma ovalada.
✤ La salsa se reparte en 6 platos calientes, se ponen dos huevos en cada uno, se sazona con sal y pimienta y se sirven inmediatamente.

6 personas

*Borgoña*

# JAMBON PERSILLÉ
JAMÓN AL PEREJIL

*En Borgoña, el jamón al perejil es el plato tradicional del Domingo de Pascua.*

1 kg de jamón (serrano) no ahumado
2 patas de vaca
300 gr de morcillo de vaca
1 diente de ajo pelado, partido en dos
2 chalotas peladas, partidas en dos
1 ramita de tomillo seco
1 hoja de laurel
3 ramitas de estragón
3 ramitas de perifollo
10 ramitas de perejil
sal y pimienta
75 dl de vino blanco de Borgoña seco
2 cucharadas de vinagre de vino blanco

✤ Doce horas antes de su preparación meter el jamón en un recipiente y cubrirlo con agua fría, para desalarlo.
✤ Escaldar las patas de vaca en agua hirviendo durante 5 min. y escurrirlas. Sacar el jamón del remojo y aclararlo bien bajo el grifo. Poner el jamón, las patas y el morcillo en una olla con el ajo, las chalotas, el tomillo, el laurel, el estragón, el perifollo y tres ramas de perejil. Salpimentar y añadir el vino. Llevarlo a ebullición a fuego suave y dejarlo cocer 2 h lentamente, removiendo de vez en cuando.
✤ Lavar el perejil, eliminar los tallos y picar las hojas. Escurrir el jamón y el morcillo y partirlo en trozos desiguales con un tenedor. Colar el caldo, rectificar de sal y pimienta y añadir el vinagre. Dejar que se enfríe hasta que empiece a aflorar la grasa.

HUEVOS AHOGADOS EN VINO (IZQUIERDA) Y JAMÓN AL PEREJIL (DERECHA)

✤ Verter una capa de la gelatina que se forme en una terrina, donde quepa justo la carne y el caldo que vaya a formar la gelatina. Dejarlo enfriar un poco en el frigorífico. Poner una capa de carne y espolvorearla de perejil, cubrirlo con caldo y refrigerarlo. Repetir la operación hasta acabar con los ingredientes, terminando con caldo. Tapar la terrina y dejarla 12 h en el refrigerador antes de servir el jamón, cortado en lonchas y acompañado de ensalada.

8 personas

23

# MARISCOS

HAY UN MISTERIO INSONDABLE: ¿por qué a los aficionados a la buena mesa, y en especial a los aficionados franceses, les vuelven locos tantos y tantos moluscos de carnes blancuzcas? Ostras de Cancale, de la bahía de Morbihan, de Belon de Saint-Vaast-la Hougue, de Marennes-Oléron: decir que no tienen el mismo sabor no es decir mucho.

En cualquier caso, la ostra posee una sólida reputación dietética y hace las delicias de los aficionados a los regímenes. Su contendio en yodo juega también a su favor. A este respecto, debemos decir que no hay que fiarse de su color.

Para el cultivo de los mejillones, en las costas de Oléron y La Rochelle se utilizan estacas de madera clavadas en el fondo del mar. Estos son los mejores. Otros se cultivan en viveros especiales, como los de Croicic. En el Mediterráneo, se encuentran los de Bouzigues, en la albufera de Tahu. Su carne cruda, anaranjada y sabrosa se presta a múltiples variaciones culinarias: se pueden hacer a la marinera o con crema pero también hacerse preparaciones como *éclade*, consistente en abrir los mejillones quemándolos, o *mouclade*, que no es más que un guiso de mejillones con vino blanco y crema fresca.

El bogavante y la langosta, que son los reyes –ya escasos– de las costas bretonas (apenas se encuentran ya verdaderas langostas en el Mediterráneo), se pescan con nasas y se sirven de un modo atractivo y sencillo a la vez, esto es, asados y acompañados de salsa de mantequilla blanca.

Los antiguos flameados o las viejas preparaciones denominadas *thermidor* (que cubrían el marisco con una salsa hecha con vino blanco y mostaza y lo gratinaban con queso) o *newburg* quitan el sabor natural de estos invertebrados.

Los camarones o quisquillas –los pequeños llamados *grises* y los grandes, *bouquets*– constituyen excelentes entradas, ya sea en ensalda, ligeramente fritos, o fríos con salsa verde o mayonesa. Las cigalas (langostinos), que por su forma parecen bogavantes pequeños, se cocinan muy bien. ¡Pero cuidado con la cocción! Algunos segundos de más, y una carne que es consistente y crujiente se vuelve blanda y fibrosa. En cuanto a la carne, se utiliza sólo la cola y se sirve frita. Hay poca variedad de cangrejos de mar, pero todos ellos esconden una carne blanca y rosada bajo su oscuro y rojo caparazón. El *tourteau* (buey de mar) es el más duro; el *étrille*, el más pequeño y fino; el centollo, el más frágil, escaso y sabroso. Todos son ricos en vitaminas y pobres en calorías, y son exquisitos cuando se sirven fríos con mayonesa al limón.

Los moluscos de río casi han desaparecido de los ríos franceses debido a la contaminación. Y los cangrejos que abundaban antiguamente en los arroyos, los lagos y los lentos cursos fluviales, se suelen importar del extranjero (de Turquía, sobre todo). Los más famosos son los *pattes rouges* (patas rojas).

INGREDIENTES PARA EL CANGREJO
AL CHAMPÁN (RECETA EN LA PÁG. 28)

VIEIRAS AL ESTILO DE LAS LANDAS (ARRIBA, RECETA EN LA PÁG. 33) Y VIEIRAS CON MANTEQUILLA BLANCA (ABAJO)

(receta en la pág. 33)

*Bretaña*

## COQUILLES SAINT-JACQUES AU BEURRE BLANC

VIEIRAS CON MANTEQUILLA BLANCA

*La mantequilla blanca es una salsa que se obtiene reduciendo chalotas y vinagre e incorporando posteriormente mantequilla. En Anjou y en la zona de Nantes, donde es típica, la mantequilla blanca se prepara con una mantequilla dulce, de delicioso sabor a avellanas. En Bretaña la preparación es igual, pero se hace con una mantequilla semisalada, de ligero sabor a yodo.*

16 vieiras (almejas) con sus corales
sal, pimienta

4 chalotas
1 dl de vino blanco seco
5 cls de vinagre de vino blanco
200 grs de mantequilla

✤ Se abren las conchas, como las ostras. Se quita la bolsa marrón que llevan dentro y se tira. Las carnes y el coral se limpian bien y se escurren; se corta cada uno en dos rodajas y se salpimientan.
✤ Pelar y picar muy menudas las chalotas. Ponerlas en una cacerola pequeña con el vino y el vinagre, la sal y la pimienta y dejarlas hervir suavemente hasta que el líquido se evapore casi por completo. Debe quedar una cantidad equivalente a dos cucharaditas de café.

✤ Mientras, partir la mantequilla en cubos de 1½ cm y reservar 20 grs. Ir añadiendo la mantequilla a la cacerola trozo por trozo, batiendo fuerte a mano, mientras se mantiene la cacerola a fuego muy lento. Cuando esté incorporada, ligera y espumosa, la mantequilla blanca está en su punto. Reservar al calor.

✤ En la mantequilla que se ha reservado se doran las vieiras. Se reparten en cuatro y se sirven de inmediato, bañadas con la mantequilla blanca.

4 personas

*Limousin*

# LIMOUSINE D'ÉCREVISSES
### CANGREJOS AL ESTILO DE LIMOUSIN

24 cangrejos vivos
2 chalotas
1 ramillete de finas hierbas: 1 hoja de laurel,
   .1 ramita de tomillo, 6 ramas de perejil
25 grs de mantequilla
sal y pimienta
2 cucharadas de coñac
½ l de vino blanco seco
3 cucharadas soperas de puré de tomate
100 grs de crema de leche concentrada
2 yemas de huevo
2 pizcas de pimienta de cayena en polvo
2 cucharadas de estragón picado

✤ Preparar los cangrejos tirando de la aleta central de la cola, retorciéndola para que salga la tripa negra. Enjuagarlos en abundante agua fría y dejarlos escurrir. Pelar y picar las chalotas y formar el ramillete de finas hierbas.

✤ Fundir la mantequilla en una sartén amplia y rehogar en ella los cangrejos durante 5 min.

Añadir las chalotas, salpimentar y dejar que se cuezan 2 min. más a fuego lento. Añadir el coñac y prenderlo. Cuando deje de arder, agregar el vino, el puré de tomate y el ramillete. Darle al conjunto un hervor de un par de minutos y sacar los cangrejos a otro recipiente con una espumadera. Se reservan al calor.

✤ El contenido de la sartén se reduce a fuego lento, durante 5 min., hasta que se espese. Añadir entonces la mitad de la crema, dejándolo hervir 2 min. Después se retira el ramillete.

✤ El resto de la crema se bate junto con las yemas y se añade a la sartén, apagando el fuego inmediatamente. Se da vueltas con una espátula hasta que la crema ligue. Se añaden los cangrejos y la pimienta de cayena, removiéndolo todo bien durante 30 segundos. Se sirven inmediatamente espolvoreados de estragón.

4 personas

CANGREJOS AL ESTILO DE LIMOUSIN

# ÉCREVISSES AU CHAMPAGNE
### CANGREJOS AL CHAMPÁN

36 cangrejos vivos
3 chalotas
50 grs de mantequilla
sal y pimienta
1 cucharada de *marc* de champán o coñac
2 dls de champán *brut*
200 grs de crema de leche concentrada
2 pizcas de pimienta de cayena en polvo
1 cucharada de estragón picado

♣ Preparar los cangrejos como en las recetas anteriores; enjuagarlos en agua fría y dejarlos escurrir. Pelar las chalotas y picarlas muy menudas.

♣ En una sartén grande fundir la mantequilla y rehogar en ella las chalotas unos 3 min., a fuego lento, hasta que empiecen a dorarse. Añadir los cangrejos y darles vueltas durante 5 min. Salpimentar, añadir el *marc* de champán y prenderlo. Cuando la llama se extinga, agregar el champán y en cuanto empiece a hervir tapar la sartén y esperar 5 min.

♣ Seguidamente sacar los cangrejos con una espumadera a una fuente y reservarlos. Reducir a la mitad el caldo de la cocción, a fuego vivo. Añadir la crema mezclando bien y dejar que se reduzca 2 o 3 min. más, hasta lograr una salsa cremosa. Agregar entonces la pimienta, colar la salsa y bañar con ella los cangrejos. Se sirven enseguida espolvoreados de estragón.

4 personas                     *Fotografía en la pág. 24*

# ARAIGNÉE FARCIE
### CENTOLLO RELLENO

2 cucharadas de sal gorda
4 centollos (jaibas) vivos
1 cebolla de 100 grs
2 chalotas
1 zanahoria
1 puerro (poro) sólo la parte blanca
1 rama de apio con hojas
1 guindilla (chile rojo) fresca
500 grs de tomates (jitomates) maduros
2 cucharadas de aceite
½ vasito de jerez seco
sal y pimienta
1 dl de caldo de pollo
1 cucharada de perejil picado
1 cucharada de pan rallado
1 cucharada de queso parmesano recién rallado

♣ Poner a hervir 3 l de agua en una olla grande; cuando haga borbotones, añadir la sal gorda y los centollos. Desde el momento en que rompa el hervor, contar 15 min.

♣ Mientras, pelar la cebolla y las chalotas y picarlas muy finamente, lo mismo que la zanahoria, el puerro, el apio y la guindilla. Los tomates se escaldan, se pelan y, después de quitarles las semillas, se pican también muy menudito.

♣ Cuando los centollos estén cocidos, se sacan del agua y se dejan enfriar. A continuación se abren y se saca el contenido de los caparazones y de las patas, se desmenuza y se reserva en un recipiente. Los caparazones se lavan con agua corriente.

⚜ Encender el horno a 230°C. Calentar el

aceite en una sartén y sofreír en él el picadillo de hortalizas unos 5 min. a fuego lento, hasta que empiece a dorarse. Añadir el jerez y remover hasta que se evapore. Añadir los tomates, sal y pimienta y agregar el caldo de pollo. Dejarlo cocer 5 min. a fuego vivo hasta que el caldo se seque. Añadir entonces la carne de centollo que tenemos reservada y darle un hervor de 2 min., removiendo para que no se pegue. Ya fuera del fuego se añade el perejil.

♣ Se reparte el relleno en los caparazones y se espolvorean de pan rallado mezclado con parmesano. Se meten al horno 15 min., hasta que se gratinen, y se sirven calientes.

4 personas

*Normandía / Bretaña*

# MOULES MARINIÈRE

### MEJILLONES A LA MARINERA

*Un plato tradicional que se degusta en toda Francia, donde se suele preparar con vino blanco del país.*

3 kgs de mejillones de vivero
1 diente de ajo
6 chalotas

1 ramillete de finas hierbas: 1 hoja de laurel, 1 ramita de tomillo y 2 de perejil
50 grs de mantequilla
2 cucharadas soperas de perejil picado
½ l de vino blanco seco
pimienta

❧ Limpiar bien los mejillones, quitándoles las barbas. Lavarlos varias veces en abundante

agua fría y escurrirlos. Pelar y picar el ajo y las chalotas y formar el ramillete de laurel, tomillo y perejil.

♣ En una olla grande, donde quepan los mejillones holgadamente, fundir la mantequilla y rehogar en ella el picadillo chalota y ajo durante 1 min. a fuego suave, hasta que empiece a dorarse. Añadir el vino y el ramillete y sazonar con pimienta. Dejar que hierva 2 min., echar en la cacerola los mejillones y removerlos con una espumadera. En cuanto se abran, pasarlos a otro recipiente y reservarlos.

♣ Reducir a la mitad el líquido que quede de la cocción de los mejillones y volver a poner en él los mejillones junto con el perejil picado. Recalentarlos durante 30 seg. y retirar el ramillete.

♣ Repartirlos en cuatro platos hondos calientes con su salsa y servirlos inmediatamente.

4 personas

*Normandía*

## COQUILLES SAINT-JACQUES D'ÉTRETAT
### VIEIRAS AL ESTILO DE ÉTRETAT

*Con sus célebres playas pedregosas, sus altos acantilados y su aguja de 70 m, Étretat, uno de los paisajes más hermosos de toda Normandía, es también un importante centro gastronómico, famoso por sus moluscos y crustáceos.*

16 vieras (almejas) con sus corales
sal y pimienta
2 chalotas
250 grs de champiñones
2 yemas de huevo
100 grs de crema de leche concentrada
50 grs de mantequilla
1 cucharada de calvados
¼ l de vino blanco seco

♣ Limpiar las vieiras como en la receta de la pág. 26 y salpimentarlas. Pelar y picar las chalotas. Limpiar los champiñones y picarlos en trocitos menudos. Batir las yemas con la crema y reservarlas.

♣ En una sartén, saltear las chalotas y los champiñones con la mantequilla y después de 5 min., a fuego suave, agregar las vieiras. Freírlas medio minuto por cada lado y después rociarlas con el calvados y prenderlo. Cuando deje de arder, retirar las vieiras y guardarlas al calor.

♣ En la misma sartén verter el vino y ponerlo al fuego hasta que se reduzca a ⅔. Añadir las yemas batidas con crema y remover, sin dejar que hierva, hasta que la salsa quede trabada.

♣ Encender el gratinador del horno. Repartir las vieiras en platos de horno individuales y bañarlas con la salsa. Ponerlas a gratinar un momento, hasta que se doren un poquito y servir inmediatamente.

4 personas

# MOULES À LA CRÈME
MEJILLONES CON CREMA

*Los mejillones no se cultivan de la misma forma en todas las regiones. Los más famosos son los de Charentes, donde se crían en estacas de madera (bouchons), a las que se adhieren formando racimos. En Bretaña, los mejillones se cultivan igual que las ostras, es decir, sobre el fondo de grandes extensiones de agua. En el sur se utilizan cuerdas; y en la albufera de Thau, los célebres mejillones de Bouzigues viven constantemente sumergidos en el agua, pero sin contacto con el fondo.*

4 kgs de mejillones
4 chalotas
½ l de sidra
200 grs de crema de leche concentrada
sal y pimienta
3 yemas de huevo
1 cucharada de perejil picado

♣ Limpiar los mejillones y quitarles las barbas. Lavarlos varias veces en abundante agua fría y escurrirlos. Pelar y picar muy menudas las chalotas.
♣ Poner a fuego vivo una olla grande con la sidra. Añadir las chalotas y dejar que hiervan 2 min., y después echar en la olla los mejillones. Removerlos un poco y en cuanto se abran sacarlos de la olla y reservarlos en un recipiente al calor.
♣ Verter la mitad de la crema en la olla y dejarla hervir a fuego vivo, hasta lograr una salsa espesa. Después de colarla, pasarla a una cacerola pequeña y reservarla al calor. Salpimentar.
♣ Batir el resto de la crema con las yemas. Sin dejar de batir, pasar esta mezcla a la cacerola hasta que la salsa quede cremosa. No debe hervir porque se pone granulada. Añadir el perejil. Repartir los mejillones en 4 platos hondos calientes y bañarlos con la crema. Servirlos de inmediato.

4 personas

# COQUILLES SAINT-JACQUES A LA LANDAISE
VIEIRAS AL ESTILO DE LAS LANDAS

50 grs de piñones
16 vieiras (almejas) con sus corales
sal y pimienta
2 cucharadas de aceite
1 cucharada de vinagre de vino añejo
50 grs de mantequilla
1 cucharada de perejil picado

♣ Tostar ligeramente los piñones en una sartén y reservarlos.
♣ Limpiar las vieiras como en la receta de la pág. 26, cortarlas en 2 rodajas y salpimentarlas. Dorar éstas en una sartén con el aceite, a fuego moderado, 1 min. por cada lado. Reservar al calor.
♣ El aceite de freír se tira y en la misma sartén se pone el vinagre y la misma cantidad de agua. Se reduce a la mitad y se añade la mantequilla, que debe fundirse sin freír. Añadir el perejil y los piñones y bañar con esta salsa las vieiras, que deben servirse de inmediato.

4 personas                    *Fotografía en la pág. 26*

# CALMARS AU RIZ
## CALAMARES CON ARROZ

*El término* calmar *se deriva de la antigua palabra francesa* calamar, *que en el siglo XIII significaba escritorio. Este molusco, al igual que el escritorio, contiene todo lo que se necesita para escribir: tinta y una pluma, nombre dado a su pequeño hueso transparente.*

1½ kg de calamares medianos
3 dientes de ajo
2 cebollas de 100 grs cada una
250 grs de tomates (jitomates) maduros
3 cucharadas de aceite de oliva
unas hebras de azafrán
1 cucharadita de *hierbas de Provenza*
   (ver glosario)
1 cucharadita de semillas de hinojo
sal y pimienta
2 pizcas de pimienta de cayena
300 grs de arroz

❧ En primer lugar hay que limpiar los calamares, sacándoles la pluma y las tripas. Se tira todo lo del interior menos los tentáculos. Se lavan luego en abundante agua fría y se cortan en arandelas de 1 cm más o menos. Los tentáculos se cortan a ras de los ojos y se reservan.

❧ Pelar y picar finamente el ajo y las cebollas. Escaldar los tomates sumergiéndolos durante 10 seg. en agua hirviendo y pelarlos. Eliminar las semillas y picarlos también.

❧ Poner los calamares a fuego suave en una cacerola de 6 l. de capacidad. Remover con una espátula hasta que pierdan todo el líquido.

❧ Añadir entonces el picadillo de ajo y cebolla y remover de nuevo hasta que el conjunto se seque. Añadir el aceite, el azafrán, las hierbas, el hinojo, la sal, la pimienta, la pimienta de cayena y el arroz. Remover todo el conjunto hasta que esté ligeramente dorado.

❧ Añadir a la cacerola los tomates que tenemos reservados, junto con ¾ de l de agua. Cuando rompa a hervir, taparlo y contar unos 25 min. hasta que el arroz esté blando.

❧ Servir caliente en la misma cacerola.

6 personas

# LES BAISERS
## BESOS (ALMEJAS CON ESPINACAS)

*Este plato se llama* lei poutoun *en provenzal. Su nombre se deriva del ruido, como de besos, que suelen hacer los comensales al degustarlo.*

PARA EL ALIOLI:
1 diente de ajo
1 yema de huevo
sal
5 cls de aceite de oliva
5 cls de aceite de cacahuete

2 kgs de espinacas
1 cebolla de 100 grs
1 cucharada de aceite de oliva
sal
2 kgs de almejas

❧ Preparar el alioli: pelar el ajo y picarlo en trozos gruesos. Mezclarlo durante 10 seg. con la batidora, junto con la yema y la sal. Añadir

BESOS O ALMEJAS CON ESPINACAS (ATRÁS) Y CALAMARES CON ARROZ (DELANTE) FOTOGRAFIADOS EN PROVENZA

el aceite de oliva y después el de cacahuete, sin dejar de batir hasta que se forme una emulsión espesa. Reservar al fresco.

✤ Limpiar y lavar las espinacas y escurrirlas muy bien. Cortarlas en tiras de 1 cm de ancho. Pelar y picar finamente la cebolla.

✤ Calentar el aceite en una sartén amplia y rehogar en él la cebolla durante 3 min., aproximadamente, a fuego suave, hasta que empiece a dorarse, y añadir las espinacas, salar y dejar que cuezan 5 min. con la sartén tapada, hasta que estén tiernas.

✤ Lavar las almejas con varias aguas, escurrirlas y ponerlas al fuego en una olla. Cuando se abran, sacarlas con una espumadera; las conchas se tiran y el interior se reserva al calor.

✤ Filtrar el jugo de cocimiento de las almejas y pasarlo a una cacerola. Ponerlo al fuego hasta que se reduzca a la mitad. Retirar y añadir el alioli, removiendo. Bañar con esta salsa las espinacas, removiendo para que quede bien distribuida. Añadir las almejas y servirlo al momento.

4 personas

# PESCADO

DESDE DUNQUERQUE A Menton, Francia se asoma a cuatro mares: el mar del Norte el Canal de la Mancha, el océano Atlántico y el mar Mediterráneo. Este último ha visto disminuir sus capturas, al carecer de mareas. Sin embargo en el norte siguen abundando los arenques y la caballa, las grandes riquezas del puerto de Boulogne. Se ahuman y luego se exportan a todo el mundo. Las sardinas, muy buenas en Bretaña, son, en conserva, el principal recurso del puerto de Quiberon. El atún abunda en la localidad vasca de San Juan de Luz y la anchoa es el timbre de gloria de Collioure, pueblo mediterráneo muy próximo a la frontera española.

Son pescados populares, más caseros que refinados, pero dan lugar a excelentes preparaciones regionales. Estos guisos sencillos –en la sartén, al vapor, a la parrilla o al horno– se suelen hacer con mantequillas sazonadas, salsas a base de hortalizas o extractos de pescado *(fumets de poisson).*

Cada región se preocupa de mezclar sus aromas y sabores propios. Pimientos en el mediodía, sidra en Normandía, muscadet en la zona de Nantes, ajo en Niza o en Provenza, salsa con vino Riesling en Alsacia, hinojo en el Mediterráneo, como en el caso de la típica lubina a la parrilla. Hemos de advertir que los pescados cambian de nombre a tenor del azar y de la geografía. Así, el *loup* (lubina o robalo) cuando se aleja del Mediterráneo

adopta el nombre de bar en el Atlántico y de *louvine* en el Golfo de Gascuña. De igual modo, la *baudrai* (rape) de la costa meridional pasa a llamarse lotte en el norte.

Por su parte, la *caudière berckoise,* que se prepara en el norte, entre Berck y Dunquerque, se condimenta con patatas, cebollas, vino blanco, dientes de ajo y crema. En el *ttoro,* la típica sopa de los pescadores de San Juan de Luz, se mezcla el aceite, el pimiento morrón, los tomates y los pequeños pimientos rojos a la vasca. En la caldeirada de Aunis y de Santoigne, comarcas de Charentes, se combinan las anguilas con los pescados marinos y la mantequilla local. En la *cotriade* bretona encontramos patatas mezcladas con acedera, mantequilla media sal y vinagre. He aquí pues, cinco versiones de un mismo plato, donde el mar y la costa se maridan con los campos aledaños.

El salmón de Lira está rodeado de una aureola casi mítica: carne rosada, fina y, al mismo tiempo, consistente y suculenta, que se acompaña de mantequilla sazonada con chalotas, vinagre y vino blanco, es decir, la famosa mantequilla blanca de Nantes, que va tan bien con el rodaballo como con el lucio.

Si bien los *sandres* suelen proceder de Holanda, las carpas están apareciendo de nuevo en los lagos de Berry, en Alsacia, donde se sirven fritas, o en Sologne, donde se acostumbra prepararlas con vino tinto y torreznos (carne de puerco).

BOURRIDE (IZQUIERDA, RECETA EN LA PÁG. 48) Y BULLABESA (DERECHA, RECETA EN LA PÁG. 39), FOTOGRAFÍA TOMADA EN PROVENZA

LENGUADO A LA MOLINERA

*Bretaña*

# SOLE MEUNIERE

LENGUADO A LA MOLINERA

*Antiguamente, los pescados se espolvoreaban con harina (de ahí el nombre de la receta) antes de freírlos con mantequilla. Hoy en día, gracias a los utensilios de cocina antiadherentes, se pueden cocinar sin harina.*

4 lenguados de 200 grs cada uno
sal y pimienta
150 grs de mantequilla media sal (ver glosario)
1 cucharada de zumo de limón
2 cucharadas de perejil picado

❧ Pedir en la pescadería que vacíen los lenguados y les quiten la piel. Una vez lavados y secos, salpimentarlos.

❧ Fundir la mitad de la mantequilla en dos sartenes y freír en ella los lenguados, 4 min. por cada lado. Reservarlos en cuatro platos calientes.

❧ Poner en una sartén limpia el resto de la mantequilla, añadir el zumo de limón y calentarla muy lentamente hasta que se funda. Bañar con ella los lenguados, espolvorearlos con el perejil y servirlos inmediatamente.

4 personas

*Provenza*

# BOUILLABAISSE
BULLABESA

*La bullabesa la inventaron los pescadores mediterráneos, quienes, al volver de sus faenas de pesca, cocinaban en un gran caldero, situado sobre un fuego de leña, los pescados más modestos junto con algunos mariscos, aceite, un trozo de cáscara de naranja seca y azafrán. Esta receta se fue convirtiendo poco a poco en uno de los platos más importantes del Mediodía francés y de ella existen tantas versiones como cocineros. El punto común de todas ellas consiste en la utilización del mayor número posible de peces de carne blanca, a los que se puede añadir cangrejos, mejillones, langostinos y sepias.*

3 kgs de pescados y mariscos variados: cabracho, rape, congrio, lubina, salmonetes, sepia, lenguado, bogavante, langosta, etc.

500 grs de tomates (jitomates) maduros

1 cebolla de 100 grs

1 puerro (poro)

1 penca de apio

2 zanahorias medianas

4 cucharadas de aceite de oliva virgen

1 pellizco de tomillo seco

1 pellizco de romero seco

1 pellizco de hinojo seco

1 hoja de laurel

1 trozo de cáscara de naranja seca

10 dientes de ajo

10 tallos de perejil

azafrán

sal y pimienta

½ l de vino blanco seco

rebanaditas de pan tostado

dientes de ajo

✤ Una vez limpios y escamados los pescados, las cabezas y espinas deben reservarse para el caldo. Cortar los mayores en trozos de 4 cm de lado, y dejar enteros los pequeños. Si se pone langosta o bogavante, debe partirse en dos, separando la cabeza de la cola. La cabeza se limpia de las partes duras. Limpiar también las sepias.

✤ Lavar los tomates y partirlos en trozos. La cebolla, el puerro y el apio se limpian y se pican. Las zanahorias se parten en rajitas finas.

✤ Calentar el aceite en una cacerola de 6 l. Agregar las cabezas y espinas y ponerlas 5 min. a fuego lento. Añadir las hortalizas troceadas y dejar que se rehoguen unos 5 min., hasta que empiecen a dorarse. Añadir las hierbas aromáticas, la cáscara de naranja, los ajos enteros, el perejil, el azafrán, sal y pimienta. Rehogarlo todo 1 min. y añadir el vino. Dejarlo hervir muy suavemente 45 min.

✤ Pasado este tiempo, retirar de la cacerola las cabezas y espinas, así como las hierbas, los ajos y la naranja. Pasar el resto por un pasapuré fino y después removerlo hasta que quede cremoso.

✤ Aclarar la cacerola y poner en ella esta crema. Llevarla a ebullición a fuego lento y añadir los pescados, empezando por los de carne más dura. A continuación ir agregando los más blandos, dejando que vuelva a hervir antes de añadir alguno. Agregar finalmente los crustáceos. Después de 10 min. de ebullición sacar los pescados y mariscos y colocarlos en una fuente. Reservarlos al calor.

✤ Pasar el caldo a una sopera y servirlo bien caliente, sobre rebanadas de pan frotadas con ajo. Servir los pescados a continuación.

6-8 personas                    *Fotografía en la pág. 36*

*País Vasco*

# TTORO

TTORO

1 merluza de 1 kg
2 rascasas de 500 grs cada una
2 salmonetes grandes, de 500 grs cada uno
500 grs de rape
1 kg de mejillones
6 langostinos
1 cebolla de 100 grs
2 dientes de ajo
1 guindilla (chile rojo) fresca
250 grs de tomates (jitomates) maduros
1 dl de aceite de oliva extravirgen
1 ramita de tomillo
1 hoja de laurel
sal y pimienta
½ l de vino blanco seco

EN EL MOMENTO DE SERVIR:
costrones de pan frito
ajo

♣ Una vez limpios los pescados, deben reservarse las cabezas y espinas. Cortar los grandes en trozos de 4 cm. y el rape en rodajas de 2 cm.

♣ Limpiar bien los mejillones, lavándolos varias veces y aclarar los langostinos.

♣ Pelar y picar la cebolla. Pelar los ajos y partirlos en dos. Lavar la guindilla y picarla. Lavar los tomates y partirlos en trozos.

♣ Calentar la mitad del aceite en una cacerola de 4 l. Añadir las cabezas y raspas del pescado y rehogarlo todo durante 5 min. Añadir las hortalizas picadas y dejar que se rehoguen 5 min. más, hasta que empiecen a dorarse. Añadir el tomate, el tomillo, el laurel y sal y pimienta.

Rehogar 1 min. y agregar el vino. Dejarlo hervir suavemente 45 min.

♣ Colar el caldo obtenido en una fuente honda de horno.

♣ Encender el horno a 215°C. Enjuagar la cacerola y poner en ella el resto del aceite. Dorar los pescados 3 min. por cada lado, escurrirlos y pasarlos a la fuente. Añadir los langostinos y los mejillones y meter la fuente en el horno. Dejarlo unos 5 min., para que el caldo se caliente y se abran los mejillones.

♣ Sacarlo y servirlo caliente, acompañado de costrones de pan untados con ajo.

6 personas                *Fotografía en las págs. 42-43*

*Charentes*

# CHAUDRÉE

CALDEIRADA

*Tan popular en Charentes como la bullabesa en Provenza, la* chaudrée *contiene siempre un ingrediente, la parte blanca de la sepia, y, a veces, patatas.*

2 kgs de pescado variado: raya, anguila,
    salmonetes, lenguado, rodaballo, etc.
500 grs de sepia limpia
sal y pimienta
400 grs de cebolla
100 grs de mantequilla
8 dientes de ajo
2 cucharadas de aceite
½ l de vino blanco seco
costrones de pan frito

♣ Una vez limpios los pescados, cortar los más grandes en trozos de 4 cm y dejar los pequeños enteros. Lavarlos, junto con las sepias, y escurrirlos. Cortar las sepias en tiras de 2 cm. Salpimentar.

✤ Pelar y picar la cebolla. Pelar los ajos. Poner la sepia en una cacerola de 6 l con la mitad de la mantequilla, a fuego lento, removiéndola con una espátula hasta que deje de soltar agua. Añadir la cebolla y los ajos y dejar que se estofen en su jugo, hasta que queden secos. Añadir el aceite y dejarlo freír hasta que se dore todo ligeramente. Añadir el vino y la misma cantidad de agua y esperar a que rompa a hervir.

✤ Agregar entonces los pescados, comenzando por los de carne más dura y a continuación los más blandos, dejando que vuelva a hervir antes de añadir alguno. Salpimentar y dejar que hierva 15 min.

✤ Pasado este tiempo, agregar el resto de la mantequilla a la cacerola y dejar que se funda. Servir de inmediato en la misma cacerola. Se sirven los pescados, regados con un poco de caldo, y se acompañan con los costrones.

6 personas                    *Fotografía en las págs. 42-43*

*Languedoc*

## THON A LA LANGUEDOCIENNE
ATÚN AL ESTILO DEL LANGUEDOC

1 rodaja de atún de 1½ kg aproximadamente
sal y pimienta
10 dientes de ajo
3 limones
25 grs de harina
5 cls de aceite de oliva extravirgen
½ l de vino blanco seco

✤ Lavar y secar el pescado, salpimentarlo. Pelar

los ajos. Cortar dos limones en rodajitas finas y exprimir el tercero, reservando una cucharada de zumo.

✤ Pasar el pescado por la harina. Calentar el aceite en una sartén que sea más o menos de la misma medida que la rodaja de atún y dorar en él el pescado, 4 min. por cada cara. Reservarlo al calor. Dorar los dientes de ajo y reservarlos junto al pescado. Verter el vino y el zumo de limón en la sartén y ponerlo al fuego hasta que se reduzca a la mitad. Poner el pescado y el ajo en esta salsa y dejarlo hervir durante 10 min., tapado y a fuego lento, dándole la vuelta a media cocción.

✤ Colocar en una fuente honda el atún y los ajos y reservarlos al calor. Poner el caldo de cocción a fuego vivo para que se reduzca un poco. Cuando adquiere una consistencia suave bañar con esta salsa el pescado y servirlo inmediatamente.

6 personas

ATÚN AL ESTILO DEL LANGUEDOC

ANCHOAS AL CHACOLÍ (IZQUIERDA, RECETA EN LA PÁG. 49), CABALLAS EN ESCABECHE (CENTRO AL FRENTE), TTORO
(ABAJO DERECHA, RECETA EN LA PÁG. 40) Y CALDEIRADA (ARRIBA DERECHA, RECETA EN LA PÁG. 46) FOTOGRAFIADOS EN EL PAÍS VASCO

# MAQUEREAUX MARINÉS

CABALLAS EN ESCABECHE

*Desde el golfo de Saint-Malo al de Gascuña, las* lisettes, *pequeñas caballas que se pescan con caña, se preparan según las siguiente receta.*

12 caballas o macarelas de 100 g cada una
1 cebolla de 100 grs
2 zanahorias de 50 grs
1 limón
1 ramillete de finas hierbas: 1 hoja de laurel,
     1 ramita de tomillo y 6 de perejil
½ l de vino blanco seco
5 cls de vinagre de vino blanco
2 clavos de especia
1 guindilla (chile rojo)
1 cucharadita de pimienta en grano
sal

❧ Una vez vaciados y limpios los pescados, lavarlos, secarlos y salarlos. Pelar la cebolla y cortarla en tiras longitudinales. Pelar las zanahorias y cortarlas en rodajas finas, y hacer lo mismo con el limón, pero dejándole la cáscara. Formar el ramillete de hierbas finas.
❧ Los ingredientes anteriores se ponen con el vino, el vinagre, las especias y la guindilla en una sartén. Dejarlo hervir 10 min., añadir las caballas y dejarlas hervir 5 min. más.
❧ Pasar los pescados a una fuente y dejar hervir el caldo 5 min. Disponer las caballas en un recipiente hondo, alternándolas con cebolla, zanahoria y limón. Cubrirlas con el caldo, previamente colado, y dejarlo enfriar. Tapar el recipiente y meterlo en el frigorífico. Conviene que las caballas se maceren unas 12 h antes de tomarlas.

4 personas

*Provenza*

# LOUP AU FENOUIL
## LUBINA AL HINOJO

1 lubina de 1½ kg
10 ramas de hinojo seco
4 cucharadas de aceite de oliva
sal y pimienta recien molida

PARA LA SALSA:
3 pepinillos
1 cucharada de alcaparras
1 diente de ajo
½ cucharadita de mostaza de Dijon
1 yema de huevo
1 dl de aceite de oliva extravirgen
1 cucharadita de vinagre blanco
1 cucharada de cebollino picado
2 cucharadas de perejil picado
sal y pimienta

❧ Pedir en la pescadería que escamen y limpien el pescado. Una vez lavado y seco, salpimentarlo por dentro y por fuera, rellenarlo con el hinojo y untarlo con aceite.

❧ Encender el gratinador del horno. Poner el pescado sobre una rejilla cubierta de ramas de hinojo y debajo de ésta una bandeja de horno. Meterlo en el horno y dejar que se haga durante 25 min., dándole la vuelta a media cocción.

❧ Mientras tanto se prepara la salsa. Picar finamente los pepinillos, las alcaparras y el ajo. Poner en un recipiente la mostaza, la yema y un poco de sal. Mezclarlo y dejarlo reposar un momento. Seguidamente añadir el aceite muy despacio, en un chorrito fino, al tiempo que se bate, hasta obtener una mayonesa firme. Añadir el vinagre y batir un poco más. Agregar los pepinillos y alcaparras así como las hierbas

picadas y pasar la salsa a una salsera caliente.

❧ Cuando el pescado esté en su punto, disponerlo en la fuente de servir y presentar la salsa aparte.

4 personas                    *Fotografía en la pág. 51*

*Provenza*

# GRATIN DE SARDINES AUX ÉPINARDS
## GRATINADO DE SARDINAS CON ESPINACAS

600 grs de sardinas medianas
1 kg de espinacas
1 huevo
30 grs de queso emmenthal o parmesano
    recién rallado
½ cucharadita de hojitas de tomillo
4 cucharadas de aceite de oliva extravirgen
30 grs de pan rallado
sal y pimienta

❧ Una vez limpias y descabezadas las sardinas, quitarles la raspa y dividirlas en dos filetes cada una. Secarlas en papel absorbente.

❧ Limpiar las espinacas. Cortarlas en tiritas. Ponerlas en una olla amplia con sal y cocerlas en un propio jugo durante 5 min. a fuego vivo, con la olla tapada. Escurrirlas bien y pasarlas a un recipiente.

❧ Batir el huevo, mezclarlo con la mitad del queso, sal y pimienta y unirlo a las espinacas, removiendo bien.

❧ Encender el horno a 230°C. Engrasar ligeramente con aceite una fuente de horno donde quepan todas las sardinas en una sola capa.

❧ Poner en el fondo las espinacas y encima los filetes de sardinas, con la piel hacia abajo. Salpimentarlas, espolvorearlas de tomillo y rociarlas con el resto del aceite.

❧ Cubrirlo todo con pan rallado mezclado con el resto del queso y meterlo en el horno durante 15 min., hasta que esté dorado. Servir caliente en la misma fuente.

4–5 personas

*Provenza*

# SARDINES FARCIES

SARDINAS RELLENAS

1 kg de sardinas medianas
250 grs de espinacas
2 dientes de ajo
2 cebollas
1 huevo
2 cucharadas de perejil picado
200 grs de requesón
30 grs de pan rallado
sal y pimienta
6 pellizcos de nuez moscada rallada
4 cucharadas de aceite de oliva virgen

❧ Limpiar las sardinas y quitarles la raspa, procurando que no se separen los lomos. Lavarlas con abundante agua fría, secarlas y salpimentarlas.

❧ Quitar los tallos a las espinacas, lavarlas y cocerlas en su propio jugo con sal en una olla amplia, dejándolas 3 min. a fuego vivo. Escurrirlas y picarlas muy finamente con un cuchillo.

❧ Pelar y picar finamente los ajos y las cebollas. Calentar en una sartén una cucharada de aceite. Rehogar en él la cebolla durante 3 min. y añadir el ajo, dejándolo freír 1 min. más.

GRATINADO DE SARDINAS CON ESPINACAS (CENTRO) Y SARDINAS RELLENAS

❧ Batir el huevo como para tortilla en un recipiente, incorporarle las espinacas, el perejil, el requesón, el contenido de la sartén y la mitad del pan rallado. Añadir sal, pimienta y nuez moscada y mezclar bien.

❧ Encender el horno a 230°C. Engrasar ligeramente con aceite una fuente de horno en la que quepan las sardinas en una sola capa. Colocar en ella la mitad de las sardinas y encima de cada una, una cucharada de relleno, aplastándolo un poco. Cubrir cada sardina con otra y rociarlas con el resto del aceite.

❧ Espolvorearlas de pan rallado y meter la fuente en el horno. Dejar que se haga durante 20 min. Se sirve en la misma fuente, caliente, templado o frío.

6 personas

# GRAND AÏOLI

GRAN ALIOLI

*El aïoli vocablo provenzal formado por las palabras ail (ajo) y huile (aceite), es la salsa que designa este plato, que se sirve en Provenza el Viernes Santo.*

2 kgs de filetes de bacalao seco

1 kg de caracoles de mar

sal y pimienta

1 kg de zanahorias pequeñas

1 kg de puerros (poros) tiernos

10 patatas (papas) medianas

500 grs de judías verdes (ejotes)

1 coliflor

10 alcachofas pequeñas

10 huevos

PARA EL ALIOLI:

6 dientes de ajo

2 cucharaditas de mostaza de Dijon

3 yemas de huevo

sal

½ l de aceite de oliva virgen

✦ Desalar el bacalao en agua fría durante 12 h, con la piel hacia arriba, cambiando el agua tres veces.

✦ Enjuagar los caracoles, cubrirlos con agua fría y ponerlos a hervir. Espumarlos durante los 5 primeros min., después salarlos generosamente y dejarlos cocer 45 min. a fuego muy lento. Escurrirlos y dejarlos en los caparazones, o sacarlos y guardarlos al calor.

✦ Pelar las zanahorias, los puerros y las patatas. Quitarles la hebra a las judías verdes. Partir la coliflor en ramitos. Quitarles las hojas duras a las alcachofas y dejar los cogollos. Cocer todas estas hortalizas por separado, con agua y sal.

Deben quedar un poco enteras. Escurrirlas y reservarlas al calor. Cocer los huevos durante 10 min. con agua y sal. Enfriarlos con agua fría y pelarlos.

✦ Escurrir el bacalao y ponerlo al fuego en una cacerola con agua fría. Cuando hierva, bajar el fuego hasta que el agua no haga borbotones y dejarlo hervir 10 min.

GRAN ALIOLI, FOTOGRAFIADO EN PROVENZA

❧ Mientras tanto, preparar el alioli: pelar los ajos y quitarles el germen. Pasarlos por una prensa de ajos y ponerlos en un tazón. Añadir la mostaza, las yemas y sal. Mezclarlo y dejarlo reposar 1 min. Agregar el aceite en chorrito fino, sin dejar de batir, hasta obtener una emulsión bien dura. También se puede preparar con una batidora.

❧ Disponer el bacalao, los caracoles y las hortalizas —todo debe estar templado— en una fuente grande. Añadir los huevos duros y servirlo con el alioli. Cada comensal debe servirse algo de alioli e ir mojando en él un poco de todo.

8-10 personas

SALMONETES EN ESCABECHE

*Provenza*

# ROUGETS EN ESCABÈCHE
## SALMONETES EN ESCABECHE

*El escabeche es una preparación de origen español hecha a base de vinagre y que se utiliza para conservar pequeños pescados fritos a los que se les ha quitado la cabeza. En la actualidad esta preparación se aplica también a pescados enteros (salmonetes, caballas, pescadillas) o cortados en trozos (atún, bonito, pez espada, merluza).*

8 salmonetes de 200 grs cada uno

sal y pimienta
1 dl de aceite de oliva extravirgen
1 dl de vinagre de vino tinto
100 grs de hojas de menta frescas

❧ Pedir en la pescadería que escamen y vacíen los pescados, lavarlos, secarlos y salpimentarlos.

❧ Calentar el aceite en una sartén y freír en él los pescados durante 8 min. por los dos lados. Escurrirlos sobre un papel absorbente y ponerlos en una fuente honda. Reservar la mitad del aceite donde se han frito en una cacerola pequeña.

❧ En un cazo, poner al fuego el vinagre con las hojas de menta. Cuando hierva, retirarlo. Verter esta preparación sobre el aceite que tenemos reservado, darle un hervor y rociar con él los salmonetes.

❧ Dejarlos enfriar por lo menos 4 h antes de servirlos.

4 personas

# BOURRIDE
## BOURRIDE

*El alioli es el vínculo de unión entre la* bourride *de rape del Languedoc y la* bourride *provenzal. Pero mientras que la primera se hace sólo con rape e incluye una salsa muy espesa, la segunda es una verdadera sopa que contiene todas las variedades de pescado blanco.*

2 kgs de pescado blanco mezclado: rape, lubina, pez de San Pedro, rodaballo, etc.
½ l de vino blanco seco
1 zanahoria mediana
1 cebolla de 100 grs

2 puerros (poros) sólo la parte blanca
1 ramillete de hierbas finas: 1 hoja de laurel,
   1 ramita de tomillo, 1 de hinojo seco,
   6 de perejil y 1 tira de cáscara
   de naranja seca
6 dientes de ajo
sal y pimienta

PARA LA SALSA:
3 dientes de ajo
1 cucharadita de mostaza de Dijon
2 yemas de huevo
¼ l de aceite de oliva extravirgen
sal

EN EL MOMENTO DE SERVIR:
rebanaditas de pan tostado
ajo

♣ Una vez limpios los pescados, reservar las cabezas y raspas. Cortarlos en trozos de 4 cm más o menos.
♣ Pelar la zanahoria, la cebolla y los puerros y partirlos en varios trozos. Formar el ramillete, pelar los ajos y ponerlo todo en una olla limpia, junto con los despojos del pescado. Cubrirlo con el vino y ¾ de l de agua y ponerlo a hervir. Salpimentar y dejar que hierva 20 min.
♣ Mientras tanto, se prepara la salsa, se pelan los ajos y se les quita el germen. Se pasan por una prensa de ajos encima de un tazón y se añade la mostaza, las yemas y un poco de sal. Mezclarlo todo y dejarlo reposar un momento. Seguidamente empezar a añadir el aceite, en chorrito fino, mientras se bate, hasta lograr una emulsión muy fina: éste es el alioli que servirá para trabar la salsa.
♣ Cuando esté preparado el caldo, colarlo y pasarlo a otra olla. Ponerlo al fuego, y cuando

hierva, poner en él el pescado. Dejarlo cocer 10 min. tapado.
♣ Cuando el pescado esté en su punto, sacarlo del caldo y reservarlo al calor, en una sopera. Fuera del fuego, incorporar la mitad del alioli al caldo y mezclarlo. Bañar el pescado con la salsa y servirlo enseguida, acompañado de tostadas untadas con ajo y con el resto del alioli.

6 personas        *Fotografía en la pág. 36*

*País Vasco*

# ANCHOIS AU TXAKOLI
ANCHOAS AL CHACOLÍ

1 kg de anchoas frescas
4 dientes de ajo
500 grs de cebolla
1 guindilla (chile rojo) fresca
75 grs de mantequilla
1 dl de chacolí (vino blanco seco)
sal y pimienta

♣ Limpiar las anchoas, quitándoles la cabeza y las tripas. Lavarlas y secarlas con papel de cocina. Pelar y picar el ajo y la cebolla. Picar también la guindilla, después de lavar y quitarle las semillas. Fundir la mantequilla en una sartén amplia. Freír en ella el picadillo de ajo, cebolla y guindilla durante un par de minutos. Añadir las anchoas y cubrirlas con el vino. Dejarlas cocer 10 min. a fuego vivo, dándoles vuelta para que se hagan por todos los lados. Servirlas después de 10 min. de reposo.

4 personas     *Fotografía en las págs. 42-43*

## DAURADE À LA PROVENÇALE
BESUGO A LA PROVENZAL

1 besugo de 1½ kg
sal y pimienta
500 grs de tomates (jitomates) maduros
2 dientes de ajo
4 cucharadas de aceite de oliva virgen
1 cucharada de perejil picado
1 limón

♣ Pedir en la pescadería que escamen y vacíen el pescado. Lavarlo, secarlo y salpimentarlo.

♣ Encender el horno a 230°C. Escaldar los tomates, pelarlos y quitarles las semillas y machacar la pulpa. Pelar y picar los ajos.

♣ Calentar la mitad del aceite en una sartén amplia. Refreír en él el ajo y el perejil un momento, hasta que el ajo empiece a dorarse.

♣ Añadir los tomates, la sal y la pimienta; remover y dejar que se fría unos 5 min., a fuego moderado, hasta que se evapore casi por completo el agua de los tomates.

♣ Colocar el besugo en una fuente de horno donde quepa justo y rociarlo con el resto del aceite. Darle la vuelta en la fuente para que se impregne de aceite por todos los lados. Meterlo en el horno 5 min.

♣ Entretanto, cortar el limón en rajitas finas. Cuando hayan pasado los 5 min., sacar la fuente del horno y cubrir el pescado con la salsa de tomate.

♣ Poner por encima las rodajas de limón y volver a meterlo en el horno 30 min. Cuando el besugo esté en su punto, servirlo enseguida en la misma fuente.

4 personas

## ROUGETS A LA NIÇOISE
SALMONETES A LA NIZARDA

*El hígado del salmonete es especialmente sabroso. No se debe quitar cuando se vacía el pescado. Se puede dejar que se cueza dentro de él, o reservarlo crudo y hacer con él un puré con el que, tras mezclarlo con una mantequilla de anchoas, se baña el pescado asado.*

8 salmonetes de 180 grs cada uno
sal y pimienta
3 dientes de ajo
1 cebolla de 100 grs
500 grs de tomates (jitomates) maduros
4 cucharadas de aceite de oliva virgen
8 filetes de anchoas en aceite
50 grs de aceitunas de Niza

♣ Pedir en la pescadería que vacíen y escamen los salmonetes, conservando el hígado. Lavarlos, secarlos y salpimentarlos. Pelar y picar el ajo y la cebolla. Escaldar los tomates, pelarlos y quitarles las semillas.

♣ Calentar la mitad del aceite en una sartén amplia y freir en él el ajo y la cebolla. Añadir los tomates, salpimentar y dejar que se frían unos 5 min.

♣ Calentar el resto del aceite en otra sartén y freír en él los salmonetes por las dos caras, durante unos 8 min. Pasarlos a una fuente de servir y reservarlos al calor. Bañarlos con la salsa de tomate, adornarlos con anchoas y aceitunas y servirlos al momento.

4 personas

# AVES Y CAZA

ODO COMENZÓ CON la *poule au pot*, manjar de Enrique IV, el amado rey de los franceses, quien quiso que fuera el plato de los días festivos de todos sus súbditos. Las cosas han cambiado mucho en los cinco siglos transcurridos desde entonces: el pollo es hoy un plato barato e incluso cotidiano.

El colmo del lujo es el pollo *a la Bresse:* esta ave, de plumas blancas y muslos azulados, dispone de 10 metros cuadrados de espacio y se alimenta con grano. Un ave fina, de carne tierna, jugosa y suculenta, apetitoso reflejo de una tierra fértil. En Bresse se cría a los pollos como si fuesen niños.

La verdad es que las aves gustan a todo el mundo, admiten toda clase de preparaciones y guarniciones y se adaptan a todas las tradiciones. Se pueden hacer con crema, estragón, vinagre, champiñones, mostaza, rellenas, en forma de caldo, con arroz, con una salsa cremosa llamada *supréme*, con pimientos, trufas, cerveza, champán o riesling: cada región tiene su receta particular.

La carne de gallo –perteneciente a un animal de un año, como mínimo, que ya ha cumplido sus funciones reproductoras–, que se suele cocinar con vino tinto, blanco o amarillo a fin de ablandar su carne algo dura, se sirve cada vez menos.

El pato es uno de esos platos que dan lugar a las grandes preparaciones de la cocina francesa. Se caracteriza por tener una carne consistente, incluso dura, que se presta a las cocciones breves, a las preparaciones agridulces, a guisarlo con zumo de naranja, con salsas hechas a base de *foie gras* y despojos o con el jugo que se extrae de la carcasa mediante una prensa de plata.

Siguiendo una moda lanzada en Gers por el cocinero de Auche, André Daugin, se preparan cada vez más los filetes de pato cebado, que se presentan poco hechos y se conocen con el nombre de *magrets* o *maigrets*. Se trata, en cierto modo, de un "bistec" de pato.

El conejo, largo tiempo abandonado y relegado a los platos de entre semana, vuelve con fuerza a la gran cocina francesa, la tradición regional, que no lo había olvidado nunca, recomienda acompañarlo con ciruelas pasas, mostaza o sidra, e invita a comer sus rollizos muslos, pero también su rabadilla (parte carnosa que se extiende desde el final de las costillas a la cola), que se salsea, se asa, se rellena o se prepara en forma de *gibelotte* o *en civet*.

Su carne, que es negra, conserva el sabor de los bosques, de los prados y de los brezales por los que ha pasado al huir de los cazadores. Ya se prepare en forma de *civet, à la royale,* con un relleno de *foie gras* y una salsa hecha de despojos, con frutas fritas, como membrillo o peras, con un puré de castañas o con pasta fresca, es uno de los más sabrosos platos otoñales.

CONEJO EMPAQUETADO (IZQUIERDA, RECETA EN LA PÁG. 56) Y POLLO A LOS CUARENTA AJOS (DERECHA, RECETA EN LA PÁG. 55), FOTOGRAFIADO EN PROVENZA

GALLO AL VINO

*Auvernia / Borgoña*

# COQ AU VIN

GALLO AL VINO

*El gallo al vino se preparaba originariamente con Chanturgues, un vino tinto de Auvernia. Este vino, al escasear, se reemplaza hoy por vino tinto de Borgoña. Todas las provincias francesas se vanaglorian de haber inventado este plato. La verdad es que se encuentran por doquier preparaciones similares hechas a base de vino tinto o blanco.*

1 gallo de 2 kgs
sal y pimienta

6 cucharadas de harina
1 ramillete de hierbas finas: 1 hoja de laurel,
    1 ramita de tomillo, 1 de romero y
    8 de perejil
3 dientes de ajo
1 loncha (rebanada) de panceta ahumada
    de 100 grs
24 cebollitas francesas
24 champiñones pequeños
50 grs de mantequilla
2 cucharadas de coñac
75 cls de vino tinto de Borgoña
4 pizcas de nuez moscada rallada
costrones de pan frito

✤ Una vez despojado el gallo, partirlo en diez trozos y sazonarlo con sal y pimienta. Pasar los trozos por harina.

✤ Formar el ramillete de hierbas finas. Pelar los ajos. Cortar la panceta en tiritas finas y quitarle la corteza. Pelar las cebollitas y limpiar los champiñones. En una cacerola de 6 l de capacidad se funde la mantequilla y se rehogan en ella estos ingredientes hasta que se doren. Se retiran y se reservan.

✤ Poner en la misma cacerola los trozos de gallo y dorarlos bien por todos los lados durante 10 min. A continuación, rociarlo con el coñac y prenderlo. Cuando la llama se apague, añadir el vino y el ramillete, así como los dientes de ajo, sal, pimienta y nuez moscada. Removerlo y, cuando rompa a hervir, tapar la cacerola y dejarlo cocer durante 1 hora, moviéndolo de vez en cuando. Pasado este tiempo, agregar el sofrito de cebollitas, panceta y champiñón que tenemos reservado y dejarlo cocer 30 min.

✤ Cuando el gallo esté tierno, sacar los trozos de la cacerola y colocarlos en una fuente. Sacar el ramillete y dejar hervir la salsa 2 min. a fuego vivo, para que se espese. Bañarlo con ella y servirlo enseguida acompañado de costrones de pan frito.

6 personas

*Provenza*

## POULET AUX QUARANTE GOUSSES D'AIL
### POLLO A LOS CUARENTA AJOS

*En Provenza, el ajo, al que denominan "trufa del pobre", es el ingrediente básico de la cocina regional.*

*Cuando se asan en chemise, es decir, sin pelar, se vuelven blandos y cremosos, y el exquisito puré resultante acompaña muy bien a las aves.*

1 pollo de 1¾ kg
sal y pimienta
40 dientes de ajos
1 pizca de tomillo seco
2 ramitas de romero fresco
2 ramitas de salvia fresca
2 pencas de apio tierno con sus hojas
4 ramitas de perejil
3 cucharadas de aceite de oliva
rebanadas de pan tostado

✤ Una vez despojado el pollo, lavarlo, secarlo y salarlo por dentro y por fuera.

✤ Encender el horno a 200°C. Pelar las cabezas de los ajos y separar los dientes, pero dejar la piel de éstos. Rellenar el pollo con la mitad del tomillo, del romero, de la salvia y del apio, el perejil y cuatro ajos. El resto de las hierbas se ponen en una fuente de horno honda, donde el pollo quepa justo y que sea refractaria. Añadir el aceite, sal, pimienta y los ajos restantes. Embadurnar bien el pollo con este aceite aromatizado y tapar la fuente. Meterla en el horno durante 45 min. sin abrirla.

✤ Pasado este tiempo, sacar el pollo a una fuente de servir. Rodearlo con los ajos, que se habrán dorado. Desengrasar el jugo de la cocción y pasarlo a una salsera.

✤ El pollo se sirve caliente, acompañado de su salsa y de rebanadas de pan tostado. Cada comensal debe ir pelando los ajos y untarlos en el pan.

5-6 personas                    *Fotografía en la pág. 52*

*Provenza*

## LAPIN EN PAQUETS
### CONEJO EMPAQUETADO

*El nombre del plato se deriva de la forma de prepararlo: los trozos de conejo se "empaquetan" realmente con la panceta ahumada. Esta forma de preparación se practica en toda Provenza, donde, en ocasiones, se reemplazan los tomates por trozos de berenjena.*

1 conejo de 1½ kg
150 grs de tomates (jitomates)
2 cucharadas de aceite de oliva
sal y pimienta
2 pizcas de azúcar
2 dientes de ajo
8 lonchas (rebanadas) finas de panceta
    ahumada
8 ramitas de tomillo

✤ Pedir que partan el conejo en ocho trozos. Lavarlos, secarlos y salpimentarlos.
✤ Encender el horno a 200°C. Escaldar los tomates, pelarlos, quitarles las semillas y picar un poco la pulpa. Freírlos en una sartén, junto con una cucharada de aceite, sal, pimienta y azúcar, a fuego vivo, removiendo a menudo, hasta obtener un puré espeso.
✤ Con el aceite restante, engrasar una fuente de horno donde quepan los trozos de conejo en una sola capa y poner en el fondo el puré de tomate.
✤ Pelar los ajos y cortarlos en laminitas. Con cada loncha de panceta envolver un trozo de conejo, acompañado de una ramita de tomillo y algunos trocitos de ajo. Cerrar el envoltorio con un palillo.
✤ Poner los "paquetes" de conejo en el tomate

y meter la fuente en el horno durante 1 h, dando la vuelta al conejo a media cocción.
✤ Cuando el conejo esté en su punto, quitar los palillos y colocarlo en una fuente. Bañarlo con el tomate y servirlo caliente.

4 personas                    *Fotografía en la pág. 52*

*Languedoc*

## FOIE GRAS FRAIS
## AUX RAISINS
### HÍGADO DE PATO CON UVAS

*Una gran receta tradicional que se ha simplificado para salvaguardar el genuino sabor del foie gras fresco.*

150 grs de uva moscatel blanca
sal y pimienta
4 lonchas (rebanadas) de hígado fresco de pato
    de 80 grs cada una
1 cucharada de armañac

✤ Pelar las uvas y quitarles las pepitas. Reservar el jugo que suelten. Salpimentar el hígado.
✤ Calentar una sartén antiadherente amplia a fuego moderado. Asar en ella los filetes de hígado, 40 seg. por cada lado, hasta que queden crujientes. Colocarlos en platos calientes. Tirar la grasa que quede en la sartén y verter en ella el armañac y el jugo que han soltado las uvas. Dejarlo reducir a la mitad.
✤ Agregar las uvas a la sartén y rehogarlas medio minuto. A continuación colocarlas en torno a los filetes, bañarlos con la salsa y servirlos enseguida.

2 personas                    *Fotografía en la pág. 61*

PATO A LA MONTMORENCY

## *Ile de France*

# CANARD MONTMORENCY

PATO A LA MONTMORENCY

*Se conoce con el nombre de Montmorency una varie-
dad de pequeñas cerezas agridulces; forman parte de
numerosos platos salados y dulces.*

1 pato de 1½ kg
sal y pimienta
500 grs de cerezas de Montorency
1½ dl de vino blanco seco
1 cucharadita de azúcar
1 cucharadita de fécula de patata
3 cucharadas de brandy de cerezas

✤ Pedir en la pollería que vacíen el pato.
Salpimentarlo por dentro y por fuera.
✤ Encender el horno a 215°C. Colocar el pato
en una fuente refractaria y meterlo en el horno
durante 1 h regándolo de vez en cuando con su
jugo. Mientras, se van deshuesando las cerezas,
procurando recoger todo el jugo que suelten.
✤ Cuando el pato esté en su punto, se saca del
horno. Hay que procurar que escurra todo el
jugo que contiene dentro, que se reserva en la
misma fuente de horno. El pato se reserva en
otro recipiente al calor.
✤ Desengrasar el jugo del pato. Poner la fuente
a fuego vivo y agregar el vino. Reducir este caldo a la mitad, rascando el fondo de la fuente con
una espátula. Cuando se haya obtenido una salsa
concentrada, se pasa a un cacito y se le añade el
azúcar y el jugo de las cerezas. Se pone al fuego
y, cuando hierva, se le agrega la fécula disuelta
en el brandy. Se hace hervir esta mezcla 2 min.
sin dejar de remover, hasta lograr una salsa
trabada. Agregar las cerezas y retirar del fuego.
✤ Trinchar el pato y colocarlo en una fuente, poniendo a su alrededor algunas cerezas.
Pasar la salsa de cerezas a una salsera y servirlo
inmediatamente.

4 personas

## Saboya

# POULET AU COMTÉ
POLLO CON QUESO COMTÉ

*Este delicioso plato se prepara tanto en Saboya como en el Franco Condado y en la región de Lyon, donde se conoce con el sencillo nombre de* pollo con queso. *La mitad del comté se sustituye a veces por queso emmenthal.*

1 pollo de 1½ kg
sal y pimienta
1 cucharada de aceite
2 dls de vino blanco seco
2 cucharadas de mostaza de Dijon
100 grs de queso comté recién rallado

❧ Una vez limpio el pollo y partido en ocho trozos, salpimentarlo. Encender el horno a 215°C. Calentar el aceite en una sartén amplia y dorar en él los trozos de pollo, removiéndolos continuamente durante 10 min. Sacarlos de la sartén. Verter el vino en la sartén y disolver en él los restos de la cocción del pollo, removiendo con una espátula. Disolver en vino la mostaza.
❧ Colocar los trozos de pollo en una fuente de horno, donde quepan justos en una sola capa, y rociarlos con el contenido de la sartén. Meterlos en el horno durante 40 min., dándoles la vuelta varias veces.
❧ Pasado este tiempo, espolvorearlos de queso y meterlos otros 5 min. en el horno, hasta que el queso se funda y empiece a dorarse. Servir bien caliente en la misma fuente.

6 personas

## Borgoña

# POULE AU RIZ
GALLINA CON ARROZ

*Este plato familiar, sencillo y nutritivo, se prepara en todos los hogares franceses. A veces se espolvorea el arroz con un poco de queso emmenthal rallado.*

1 gallina de 2 kgs
sal y pimienta
250 grs de cebollas
250 grs de zanahorias
1 ramillete de hierbas finas: 1 hoja de laurel,
    1 ramita de tomillo y 6 de perejil
4 cucharadas de aceite de oliva
50 grs de mantequilla
½ l de vino blanco de Borgoña
350 grs de arroz de grano largo

❧ Pedir en la pollería que vacíen la gallina y reservar los despojos. Limpiar el hígado y la molleja. Salpimentar la gallina por dentro y por fuera. Pelar y picar finamente las cebollas. Pelar las zanahorias y cortarlas a lo largo en cuatro trozos, y éstos en triangulitos de ½ cm. Formar el ramillete.
❧ Calentar un poco de aceite en una cacerola de 4 l y dorar en él la gallina por todos los lados. Sacarla y tirar el aceite que quede. Poner en la cacerola la mantequilla, la cebolla y las zanahorias y dejar que se doren a fuego lento, removiendo de vez en cuando. Añadir los despojos y dejar que se rehoguen 1 min. Poner la gallina en la cacerola, junto con el vino y tres vasitos de agua. Ponerlo al fuego y cuando hierva añadir el ramillete, sal y pimienta. Colocar la gallina de modo que repose sobre un muslo, tapar la cacerola y dejar que cueza 1 h a fuego lento. Hecho esto, darle la vuelta a la gallina, y dejar que

GALLINA CON ARROZ (ARRIBA) POLLO A LA VASCA (ABAJO IZQUIERDA, RECETA EN LA PÁG. 60) Y POLLO CON QUESO COMTÉ (ABAJO DERECHA)

cueza otra hora, reposando en el otro muslo. ♣ Pasadas estas 2 h, colocarla con la espalda hacia abajo y añadir el arroz, en forma de lluvia, a su alrededor. Tapar y dejar que se haga ½ h más, siempre a fuego lento y sin remover. Cuando esté en su punto, sacar la gallina a una fuente, quitar los despojos y el ramillete y remover el arroz; rodear con él la gallina y servirlo.

6 personas

## POULET BASQUAISE
POLLO A LA VASCA

1 pollo de 1½ kg
sal y pimienta
2 cebollas de 100 grs
3 dientes de ajo
1 loncha (rebanada) de jamón de Bayona
    de 150 grs
1 guindilla (chile rojo) fresca
4 pimientos verdes pequeños
500 grs de tomates (jitomates) medianos
3 cucharadas de aceite
1½ dl de vino blanco seco

❧ Pedir en la pollería que despojen el pollo y lo partan en ocho trozos; salpimentarlo. Pelar las cebollas y los ajos y picarlos finamente. Cortar el jamón en daditos. Lavar la guindilla y los pimientos, picar menuda la primera y cortar en tiritas los segundos. Escaldar los tomates y, después de quitarles la piel y las semillas, picar la pulpa.

❧ Calentar el aceite en una sartén amplia y dorar los trozos de pollo durante 10 min. Retirarlos y en la misma sartén rehogar el ajo y la cebolla. Añadir los pimientos y la guindilla y freírlos durante 5 min. a fuego lento.

❧ Volver a poner el pollo en la sartén y añadir el vino. Subir el fuego para que el vino se evapore; añadir los tomates, sal y pimienta, tapar y dejarlo cocer 45 min. a fuego lento, removiendo de vez en cuando.

❧ Pasado este tiempo, sacar el pollo a una fuente honda. Reducir el jugo de la cocción a fuego vivo hasta que quede espeso y bañar con él el pollo. Servir de inmediato.

4-6 personas      *Fotografía en la pág. 59*

## MAGRETS GRILLÉS SAUCE AILLADE
PECHUGAS DE PATO A LA PARRILLA CON AJADA

*La ajada, salsa muy apreciada en Toulouse, puede prepararse con aceite de oliva y nueces a partes iguales. Los* magrets *bañados en esta salsa aromática están exquisitos cuando se acompañan de setas salteadas.*

2 dientes de ajo
3 cucharadas de armañac
1 ramita de tomillo
sal y pimienta
2 pechugas de pato fresco de 350 grs cada uno

PARA LA AJADA:
24 nueces
3 dientes de ajo
sal y pimienta
1 dl de aceite de oliva virgen

❧ Primero se preparan las pechugas: pelar los ajos y picarlos en trozos grandes. Ponerlos en un recipiente con el armañac y el tomillo desmenuzado, sal y pimienta. Macerar las pechugas en este adobo, dándoles algunas vueltas, durante 1 h a temperatura ambiente.

❧ Mientras tanto, se prepara la salsa. Pelar las nueces y los dientes de ajo y picar estos últimos en trozos grandes. Meter en una batidora las nueces y los ajos, junto con dos cucharadas de agua, y batir hasta obtener una pasta espesa. Salpimentarla e irle añadiendo el aceite en chorrito fino, sin dejar de batir, hasta que la salsa se emulsione. Reservarla en una salsera.

❧ Sacar las pechugas del adobo, escurrirlas y secarlas. Calentar una cacerola, a ser posible de fundición, a fuego moderado y poner en ella las pechugas, con la piel pegada al fondo de la cacerola. Dejarlas asarse 8 min. rociándolas con su propia grasa.

♣ Pasado este tiempo, quitar la grasa y dar la vuelta a las pechugas, pinchando en varios sitios la piel crujiente para que suelten toda la grasa. Retirar las pechugas de la cacerola y tirar la grasa.

♣ Verter el adobo en la cacerola, colándolo primero, dejarlo hervir 1 min. y retirarlo del fuego. Volver a poner las pechugas en la cacerola con la piel para abajo, taparlas, y dejarlas reposar 15 min.

♣ Pasado este tiempo, sacar las pechugas y trincharlas en lonchitas finas. Repartir éstas en cuatro platos calientes. Pasar a la cacerola el jugo que hayan soltado las pechugas al cortarlas, darle unas vueltas y bañar con él la carne. Servir enseguida, presentando la salsa aparte.

4 personas

PECHUGAS DE PATO A LA PARRILLA CON AJADA (ARRIBA) E HÍGADO DE PATO CON UVAS (ABAJO, RECETA EN LA PÁG. 56)

PATO A LA NARANJA

*Orléanais*

# CANARD À L'ORANGE

PATO A LA NARANJA

1 pato de 1½ kg
sal y pimienta
1 limón
6 naranjas medianas
75 grs de azúcar
3 cucharadas de vinagre de vino añejo
1 dl de vino blanco seco
1 cucharada de fécula de patata
3 cucharadas de curaçao
1 cucharada de jalea de grosella

❧ Una vez vacío el pato, salpimentarlo por dentro y por fuera.

❧ Encender el horno a 215°C. Poner el pato en una fuente refractaria y asarlo 1 h, regándolo a menudo con su jugo.

❧ Mientras, se van preparando las frutas. Rallar la piel del limón y de dos naranjas. Exprimir el jugo de estas tres frutas y reservarlo. Pelar las naranjas restantes, quitándoles toda la membrana blanca y partirlas en cuartos. Reservar también el jugo que suelten y agregarlo a las naranjas exprimidas.

❧ Poner el azúcar y dos cucharadas de agua en un cazo y removerlo al fuego hasta que se forme caramelo. Agregarle el vinagre y el zumo de fruta y dejarlo cocer 1 min. más.

✤ Cuando el pato esté en su punto, sacarlo del horno. Escurrir en la fuente todo el jugo que contenga y pasarlo a otro plato. Reservarlo al calor.

✤ Desengrasar el jugo que queda en la fuente de horno. Ponerla a fuego vivo y agregar el vino. Rascar el fondo con una espátula para despegar los restos del pato, mientras hierve hasta que el jugo quede reducido a la mitad. Pasarlo a un cazo y llevarlo a ebullición. Disolver la fécula en el curaçao y agregar esta mezcla a la salsa, junto con la jalea de grosella. Dejarlo hervir 2 min., sin cesar de remover. Añadir las ralladuras y los cuartos de las frutas y retirarlo del fuego.

✤ Trinchar el pato y colocarlo en una fuente. Rodearlo de cuartos de naranja y servirlo enseguida, presentando la salsa aparte en una salsera.

4 personas

*Bretaña / Normandía*

## LAPIN AU CIDRE
CONEJO A LA SIDRA

1 conejo de 1½ kg
sal y pimienta
1 loncha (rebanada) de panceta ahumada de 100 grs
4 chalotas
100 grs de setas pequeñas
1 cucharada de aceite
25 grs de mantequilla
2 cucharadas de calvados
¼ l de sidra seca
1 yema de huevo
1 cucharada de mostaza fuerte
100 grs de crema de leche concentrada
sal y pimienta

✤ Pedir que partan el conejo en 9 trozos y reservar el hígado. Lavarlo, secarlo y salpimentarlo. Cortar la panceta en tiritas.

✤ Pelar las chalotas y picarlas menudas. Limpiar las setas, lavarlas y partirlas en 4 trozos.

✤ Calentar el aceite en una sartén amplia. Agregar la mantequilla y dorar en esta grasa el picadillo de chalotas, setas y panceta, removiendo a menudo. Cuando esté, sacarlo a un plato y en la misma sartén dorar los trozos de conejo durante 10 min.; a continuación, rociarlo con el calvados. Dejar que se evapore y añadir la sidra. Cuando rompa a hervir, tapar la sartén y dejarlo cocer 30 min. a fuego lento, volviendo las tajadas de vez en cuando.

✤ Pasado este tiempo, agregar el sofrito que tenemos reservado y dejarlo cocer otros 15 min.

✤ Batir la yema de huevo con la mostaza y la crema y agregarle el hígado previamente triturado.

✤ Cuando el conejo esté en su punto, sacarlo de la sartén a una fuente, con los torreznitos y la chalota. Reducir el jugo que quede de la cocción hasta que se espese. Agregarle la mezcla del hígado, darle un breve hervor, retirarlo del fuego y batirlo con unas varillas hasta lograr una salsa trabada. Bañar el conejo con la salsa y servirlo enseguida.

4 personas          *Fotografía en la pág. 65*

*Normandía*

## POULET VALLÉE D'AUGE
POLLO AL ESTILO DEL VALLE D'AUGE

*La región normanda llamada Valle d'Auge, famosa por sus manzanas, es la que ha dado nombre a esta receta. Entran en ella la mantequilla, la crema y el calvados, todos ellos ingredientes básicos de la cocina normanda.*

1 pollo de 1½ kg
sal y pimienta
1 manzana reineta
1 cucharada de aceite
50 grs de mantequilla
2 cucharadas de calvados
500 grs de setas
150 grs de crema de leche concentrada

♣ Pedir en la pollería que limpien el pollo y lo partan en ocho trozos. Salpimentarlo. Pelar la manzana, quitarle el corazón y cortarla en trocitos de 1 cm.

♣ Calentar el aceite en una sartén grande. Añadir la mitad de la mantequilla y cuando esté fundida, ir dorando en ella los trozos de pollo. Añadir la manzana y rehogarla durante 1 min., seguidamente agregar el calvados. Prenderlo y flamear hasta que la llama se extinga; añadir una cucharada de agua, tapar y dejar que se cueza 45 min. a fuego lento.

♣ Mientras tanto, preparar las setas. Quitarles la parte terrosa, lavarlas muy bien, escurrirlas y cortarlas en laminitas finas. Fundir el resto de la mantequilla en una sartén y rehogar en ella las setas, a fuego vivo, hasta que no suelten agua y se doren.

♣ Cuando el pollo esté en su punto, sacarlo a una fuente y reservarlo al calor. Reducir el caldo, hasta que quede espeso, y añadirle la crema. Dejar que hierva 2 min. a fuego vivo, sin dejar de remover, hasta obtener una salsa trabada. Añadir entonces las setas, mezclar bien y bañar el pollo con esta salsa. Servirlo al momento.

4-6 personas

*Normandía*

## POULET A LA CRÈME À L'ESTRAGON
POLLO A LA CREMA CON ESTRAGÓN

1 pollo de 1¾ kg
sal y pimienta
10 ramitas de estragón fresco
25 grs de mantequilla
2 dls de caldo de pollo
200 grs de crema de leche concentrada

♣ Una vez despojado el pollo, lavarlo, secarlo y salpimentarlo por dentro y por fuera. Rellenar el pollo con el estragón, reservando un par de ramitas. Fundir la mantequilla en una fuente con tapa donde el pollo quepa justo. Dorarlo por todos los lados durante unos 10 min. Sacarlo de la fuente y tirar la mantequilla. Pasar el caldo a la fuente y ponerlo a hervir hasta que se reduzca, rascando el fondo para aprovechar los jugos del rehogo del pollo. Volver a poner el pollo en la fuente, taparla y dejarlo cocer suavemente durante 1 hora y 20 minutos.

♣ Picar el resto del estragón.

♣ Cuando el pollo esté en su punto, sacarlo de la fuente y reservarlo al calor. Reducir de

CONEJO A LA SIDRA (ARRIBA IZQUIERDA, RECETA EN LA PÁG. 63), POLLO AL ESTILO DEL VALLE D'ANGE
(ARRIBA DERECHA) Y POLLO A LA CREMA CON ESTAGÓN (ABAJO) FOTOGRAFIADOS EN NORMANDÍA

nuevo el caldo, hasta que se espese, y agregarle la crema.

✤ Dejar que hierva 2 min. más para que quede una crema trabada. Añadirle el estragón y retirarla del fuego.

✤ Trinchar el pollo en trozos y disponerlo en una fuente de servir. Bañarlo con la salsa y servirlo de inmediato.

4-6 personas

# CARNES

A LOS FRANCESES LES ENCANTA la carne. Por más que proclamen un amor ilimitado por el pescado no pueden evitar soñar, en cuanto salen al extranjero, con el bistec con patatas fritas, plato que ha dado la vuelta al mundo.

El buey es un animal de raza bovina, al que se castra, se cría y se engorda para producción de carne. La campiña francesa cuenta con veinticinco mil cabezas de este tipo de animal repartidas entre diferentes razas: Limousin, Salers, Aubrac, Maine Anjou, Blonde Aquitaine, y sobre todo, Charolais, la más famosa de todas.

Ya se ase, se hierva o se fría, la carne de buey siempre es sabrosa y tiene un hermoso aspecto. El entrecot, tierno y graso, es un bocado digno de un rey, y es muy apreciado cuando se fríe y se acompaña de una salsa hecha a base de vino tinto y chalotas (salsa Bercy o del vinatero). En la carne al estilo de Borgoña o de daube, la carne se cuece en una salsa hecha con vino tinto y cebolla. También puede prepararse estofada, en un caldo que conserva su textura, como en el llamado *bœuf à la ficelle*.

La carne de ternera procede de un animal joven de la especie bovina, al que no se ha destetado. Los trozos de carne que se cortan entre la novena y decimotercera costilla, las chuletas tiernas y jugosas que al igual que el *escalope* se fríen en su propio jugo, con crema, con champiñones de París o se empapan. La blanqueta de ternera, que se prepara con la falda, la espaldilla, el cuello y la aleta, es un plato familiar que se acompaña con arroz. Es el plato burgués por excelencia.

La carne de cordero es tierna y fina. El mejor cordero de todos, el preferido por los gastrónomos, es el denominado Sisteron, de la Alta Provenza, cuyo sabor procede de las hierbas del país: tomillo, romero, ajedrea y salvia. Un "sencillo" cordero provenzal, al que se puede añadir ajo picado, perfuma el aire con el aroma de la tierra donde ha vivido.

El cordero que se alimenta de hierba salada y yodada en los alrededores de la península del Mont-Saint-Michel es magnífico también. Pero hay exquisitos corderos en otros lugares: el Texel en las Ardenas y en la Ile de France, o el berrichone de la Vendée, del Cher o de los Pirineos.

El cerdo tiene mala fama. Sin embargo, tiene una carne muy sabrosa. Muy estimada por las gentes del este, casa a la perfección con la cerveza y la col, sirve para preparar diversos productos de charcutería (jamones, terrinas, patés) y constituye el acompañamiento por excelencia (en forma de salchicha, paletilla o pata) de la tradicional *choucroute*. En el norte, en Alsacia y en Lorena, la unión del gourmet con el cerdo se ha sellado siempre en los platos más tradicionales.

BLANQUETA DE TERNERA (IZQUIERDA, RECETA EN LA PÁG. 70), ATADO DE VACA O RES (ARRIBA DERECHA, RECETA EN LA PÁG. 68) Y ESTOFADO DE PRIMAVERA (ABAJO, RECETA EN LA PÁG. 78) FOTOGRAFIADOS EN LA ÎLE DE FRANCE

## *Ile de France*

# BOEUF À LA FICELLE

ATADO DE VACA O RES

*El nombre de este plato se deriva, sin duda, de la expresión* pélican à la ficelle. *El pelícano es un músculo atrofiado que tienen las vacas en el lado del corazón. Los matarifes se quedaban con este trozo de carne.*

*Cuando acababan de trabajar acudían a algún restaurante del barrio de la Villette y cocinaban el trozo de carne en una gran marmita con agua y sal. Para saber cuál era el suyo, los matarifes lo ataban con un cordel que llevaba un número. Una vez cocido, comían el pelícano sazonado con sal gorda.*

4 medallones de carne de vacuno
de 150 grs cada uno y 3 cm de grueso:
solomillo (filete), lomo o tapa
sal y pimienta
3 l de caldo de carne

EN EL MOMENTO DE SERVIR:
sal gorda
mostazas variadas
pepinillos

♣ Atar los medallones cruzando el cordel sobre ellos y formando una lazada de unos 6 cm. Salpimentarlos.
♣ Poner el caldo en una cacerola de 4 l y llevarlo a ebullición.
♣ Pasar el mango de una cuchara de madera por las lazadas de los medallones de carne, de modo que queden colgando de ella, y colocar la cuchara sobre la cacerola. Los medallones suspendidos en el caldo hirviendo se cuecen muy bien. Si gusta de la carne sonrosada, bastará con 4 min. de cocción.
♣ Retirar la carne y distribuirla en cuatro platos calientes. Servirla sin tardanza acompañada de mostazas, pepinillos, sal gorda, etc.

4 personas                    *Fotografía en la pág. 66*

## *Borgoña*

# BOEUF BOURGUIGNON

ESTOFADO DE BORGOÑA

250 grs de panceta semisalada
36 cebollitas francesas
1 cucharada de aceite de oliva
50 grs de mantequilla
1¾ kg de carne de vacuno para guisar:
aleta, aguja, morcillo, espaldilla
3 cucharadas de *marc* de borgoña
75 cls de buen vino tinto
36 champiñones pequeños
1 cucharada de zumo de limón
sal y pimienta
2 cucharadas de fécula de patata

♣ Aclarar la panceta en agua corriente y cortarla en tiritas finas. Escaldarlas 5 min., volver a aclararla y escurrirla. Pelar las cebollitas.
♣ Calentar el aceite en una cacerola amplia y dorar en él la panceta, a fuego lento, durante 5 min., sin dejar de remover. Retirar estos torreznitos de la cacerola y reservarlos.
♣ Poner en la cacerola 20 grs de mantequilla y cuando se funda añadir las cebollitas y dorarlas unos 10 min. a fuego muy lento. Retirarlas y reservarlas junto a los torreznos.
♣ Cortar la carne en dados de 6 cm de lado y dorarlos en la cacerola durante unos 5 min. sin dejar de remover. Deben saltearse en tandas para que no se amontonen en la cacerola. A

ESTOFADO DE BORGOÑA

medida que vayan estando, retirarlos y reservarlos en una fuente honda.

✤ Tirar la grasa que quede en la cacerola y verter en ella el *marc* y 1 min. después el vino, rascando el fondo de la cacerola con una espátula para despegar la sustancia de la carne. Prender el vino, y cuando la llama se extinga volver a poner la carne en la cacerola. Desde el momento en que rompa el hervor, dejarlo cocer 3 h a fuego muy lento.

✤ Mientras tanto, limpiar los champiñones, lavarlos y secarlos. Fundir el resto de la mantequilla en una sartén amplia y añadir los champiñones y el zumo de limón. Salpimentar y dejar que se rehoguen hasta que estén dorados y dejen de soltar agua.

✤ Pasadas las 3 h de cocción, añadir a la cacerola las cebollitas, el tocino y los champiñones y dejarlo cocer todo junto 1 h más, siempre tapado y a fuego lento.

✤ Pasadas estas 4 h sacar la carne, los champiñones, las cebollitas y el tocino y reservarlos en otra cacerola Disolver la fécula en una cucharada de agua fría y agregar esta mezcla a la salsa en ebullición. Dejarla cocer 1 o 2 min. a fuego vivo, hasta que la salsa quede bien trabada. Volver a poner la carne y la guarnición en la cacerola, recalentarla un par de minutos y pasarla a una fuente honda. Servirla inmediatamente.

8 personas

## *Ile de France*

# BLANQUETTTE DE VEAU
### BLANQUETA DE TERNERA

1½ kg de carne de ternera con hueso:
    ⅓ de pescuezo, ⅓ de espaldilla y ⅓ de falda
1 cebolla de 100 grs
2 clavos de especia
1 zanahoria mediana
1 ramillete de hierbas finas: 1 hoja de laurel
    1 ramita de tomillo, 6 de perejil, 2 pencas
    de apio y la parte blanca de 1 puerro (poro)
2 dls de vino blanco seco
150 grs de crema de leche concentrada
2 yemas de huevo
1 cucharada de zumo de limón
4 pizcas de nuez moscada rallada
sal y pimienta

PARA LA GUARNICIÓN:
24 cebollitas francesas
250 grs de champiñones pequeños
50 grs de mantequilla
sal y pimienta
1 cucharada de zumo de limón

✤ Cortar la carne en dados de 5 cm. Pelar la cebolla y pincharle los clavos. Pelar la zanahoria y partirla en cuatro trozos. Atar el ramillete.
✤ Poner la carne en una cacerola amplia junto con la zanahoria, la cebolla y el ramillete. Agregar el vino. Completar con agua hasta que la carne quede cubierta y ponerla a hervir. Espumar durante los primeros 10 min. tapar y dejarlo hervir 2½ h, sin que haga borbotones.
✤ Unos 45 min. antes de que finalice la cocción se prepara la guarnición: se pelan las cebollitas y se limpian los champiñones. Fundir la mitad de la mantequilla en una sartén amplia y dorar

en ella las cebollitas durante 5 min., sin dejar de darles vueltas. Agregar 1 dl de agua, sal y pimienta y dejarlas cocer tapadas 20 min., hasta que estén tiernas. Reservar.
✤ Fundir el resto de la mantequilla en otra sartén, agregar los champiñones y el zumo de limón. Salpimentar y dejarlos cocer hasta que estén dorados y no suelten agua. Reservar.
✤ Colar el caldo de cocer la carne y reducirlo a fuego vivo, hasta que sólo quede ¼ l. Batir la crema con las yemas de huevo y disolver la mezcla con tres cucharadas de caldo. Añadir este preparación a la cacerola y dejarla cocer sin cesar de darle vueltas. Retirar la salsa del fuego y batirla hasta que quede trabada. Agregar el zumo de limón, nuez moscada, sal y pimienta y batir medio minuto más.
✤ Bañar la carne y la guarnición con la salsa y servirla inmediatamente.

6 personas           *Fotografía en la pág. 66*

## *Normandía*

# CÔRTES DE VEAU À LA NORMANDE
### CHULETAS DE TERNERA A LA NORMANDA

4 manzanas golden de 200 grs cada una
75 grs de mantequilla
4 chuletas de ternera de 200 grs cada una
sal y pimienta
2 cucharadas de calvados
200 grs de crema de leche concentrada

✤ Partir las manzanas en cuartos, pelarlas y quitarles el corazón. Partir cada cuarto en tres laminillas.

✤ Fundir la mitad de la mantequilla en una sartén amplia y rehogar en ella las manzanas durante 10 min. a fuego moderado, dándoles la vuelta a media cocción.

✤ Mientras tanto, fundir el resto de la mantequilla en otra sartén, también grande, y freír las chuletas, 5 min. aproximadamente por cada lado, a fuego moderado. Salpimentarlas durante la cocción.

✤ Colocar las chuletas y las manzanas en una fuente caliente. Verter el calvados en la sartén donde se han hecho las chuletas y ponerlo al fuego hasta que se evapore, rascando el fondo de la sartén con una espátula para recuperar el jugo de cocción de la carne. Añadir la crema y dejar que se reduzca a la mitad, sin cesar de remover. Bañar con esta salsa las chuletas y servirlas inmediatamente.

4 personas

CHULETAS DE TERNERA A LA NORMANDA (ARRIBA)
E HÍGADO DE TERNERA A LA LYONESA (ABAJO)

*Lyonnais*

# FOIE DE VEAU À LA LYONNAISE
## HÍGADO DE TERNERA A LA LYONESA

*Se denomina* à la lyonnaise *toda preparación a base de cebollas troceadas, doradas con mantequilla y aliñadas con vinagre y perejil picado.*

250 grs de cebollas
4 filetes de hígado de 150 grs cada uno
    y 1½ cm de grueso
sal y pimienta
50 grs de mantequilla
1 cucharada de vinagre de vino añejo
2 cucharadas de perejil picado

✤ Pelar las cebollas y cortarlas en finas tiras longitudinales. Secar los filetes de hígado y salpimentarlos.

✤ Fundir un tercio de la mantequilla en una sartén amplia y freír en ella el hígado, 2 min. por cada lado, a fuego moderado. Reservar los filetes en una fuente caliente.

✤ Fundir el resto de la mantequilla y añadirle la cebolla. Estofarla 15 min. a fuego lento, removiendo a menudo, hasta que esté muy tierna. Agregar el vinagre y el jugo que haya soltado el hígado. Salpimentar y dejarlo al fuego 1 min. más. Repartir las cebolla en cuatro platos calientes. Volver a pasar el hígado por la sartén, ½ min. por cada lado, y distribuirlo en los platos. Espolvorearlo de perejil picado y servirlo de inmediato.

4 personas

*Ile de France*

# ENTRECÔTES BERCY, POMMES FRITES

## ENTRECOTS ESTILO BERCY CON PATATAS FRITAS

*El barrio parisino de Bercy, en el que estuvo ubicado durante mucho tiempo el mercado de vinos más importante de Europa, dio su nombre a la preparación denominada Bercy, hecha a base de vino y chalotas, que estuvo de moda en los restaurantes de París hacia 1820. Por esta misma época, los vendedores ambulantes de patatas fritas, los friteurs, ofrecían en las inmediaciones del Pont Neuf patatas fritas en aceite hirviendo, que se llamaban "patatas Pont-Neuf".*

PARA LAS PATATAS FRITAS:

1 kg de patatas (papas)
2 l de aceite de cacahuete
sal

sal y pimienta
2 entrecots de 600 grs cada uno
4 chalotas
100 grs de tuétano de vaca
1 cucharada de aceite
100 grs de mantequilla
1 dl de vino blanco seco
1 cucharada de perejil picado

✤ En primer lugar se preparan las patatas: se pelan, se lavan y se cortan en tiras de 5 o 6 cm de largo y 1 cm de grueso.

✤ Calentar el aceite en una freidora o sartén honda. Cuando esté caliente, sumergir en él las patatas y dejarlas freír unos minutos, hasta que adquieran un tono amarillo. Retirarlas y reservarlas fuera del aceite hasta el momento de servir. Si se utiliza una freidora eléctrica, conviene mantener el aceite a 180°C hasta que haya que volver a utilizarlo.

✤ A continuación, salpimentar los entrecots y pelar y picar finamente las chalotas. Cortar el tuétano en daditos de ½ cm y escalfarlos durante 3 min. en una cacerola con agua hirviendo. Escurrirlos en un colador.

✤ Calentar el aceite en una sartén, amplia, agregar 25 grs de mantequilla y cuando se funda freír en ella los entrecots, entre 1½ y 2½ min. por cada cara, según se prefieran. Retirarlos de la sartén y reservarlos al calor. Tirar la grasa de freírlos y poner en la sartén las chalotas y el vino blanco. Dejarlo hervir a fuego vivo, rascando el fondo de la sartén con una espátula para despegar la sustancia que quede de la carne, hasta que sólo reste una cantidad de líquido equivalente a una cucharada sopera. Retirar la sartén del fuego y agregar el resto de la mantequilla en pedacitos, batiendo para que quede espumosa. Añadir el perejil y bañar la carne con esta salsa. Recalentar durante unos segundos en la sartén los daditos de tuétano y repartirlos sobre la carne.

✤ Sumergir de nuevo las patatas en el aceite, caliente, y cuando estén doradas y crujientes, sacarlas y escurrirlas sobre un papel absorbente. Pasarlas a una fuente, espolvorearlas de sal y servirlas junto con la carne, sin dar lugar a que se enfríen.

4 personas

400 grs de lomo o tapa (filete) en uno solo
    filete de 3 cms de grueso
sal
1 cucharada de pimienta quebrada
50 grs de mantequilla
2 cucharadas de coñac
50 grs de crema de leche concentrada

✤ Pedir en la carnicería que partan la carne en dos filetes iguales. Salarlos y pasarlos por la pimienta, que tendremos preparada en un plato, por las dos caras.

✤ Fundir la mitad de la mantequilla en una sartén y freír en ella los filetes 2 o 3 min. por cada lado, según se prefiera el punto de la carne. Agregar el coñac a la sartén y flamear los filetes. Cuando la llama se extinga, sacar la carne a una fuente y reservarla al calor.

✤ Tirar la mantequilla que quede en la sartén y poner en ella la crema. Cuando haya hervido 1 min. a fuego vivo, se incorpora la mantequilla, batiendo enérgicamente. Bañar los filetes con esta salsa y servirlos enseguida.

2 personas

FILETE A LA PIMIENTA

*Ile-de France*

## STEAK AU POIVRE
FILETE A LA PIMIENTA

*El filete a la pimienta, receta creada en 1920 en las cocinas del Palacio Trianon de Versalles, se ha convertido en uno de los grandes platos clásicos de la cocina francesa. Con objeto de dar sabor a una carne procedente de Argentina, tierna pero insípida, el chef Émile Lerch tuvo la idea de cubrirla con pimienta antes de freírla. Hoy en día, la pimienta molida (mignonette) se conoce también con el nombre de* poivre à steak *(pimienta de filete).*

*Bretaña*

## KIG-HA-FARZ
COCIDO CON RELLENO

*Este tradicional plato bretón se servía antiguamente en las fiestas familiares. Las amas de casa guardaban cuidadosamente los sacos de tela blanca que contenían el* farz, *esto es, el relleno, sacos que se hervían con agua y se secaban al sol cada vez que se utilizaban.*

*Luego se depositaban en el armario de la ropa blanca hasta la próxima ocasión.*

1½ kg de carne de vacuno para guisar:
    espaldilla, aguja, morcillo
1 ramillete de hierbas finas: 1 hoja de laurel,
    1 ramita de tomillo, 6 de perejil
    y 3 pencas de apio.
1 cebolla
3 clavos de especia
500 grs de panceta fresca
1 cucharada de sal gorda
1 cucharadita de pimienta en grano
1 cucharadita de semillas de cilantro
6 zanahorias
6 nabos
3 puerros (poros)
1 rama de apio
1 repollo (col) verde

Para el relleno:
60 grs de mantequilla media sal (ver glosario)
250 grs de harina de alforfón
1 dl de leche
100 grs de crema de leche concentrada
1 huevo
1 cucharada de azúcar
100 grs de pasas de corinto

❧ Poner a hervir 4 l de agua en una olla grande. Sumergir en el agua la carne y hervirla durante 15 min., a fuego lento y espumando regularmente.

❧ Formar el ramillete de hierbas. Pelar la cebolla y pincharle los clavos.

❧ Después de 15 min. de cocción, agregar a la olla la panceta, el ramillete, la cebolla, sal, pimienta y el cilantro. Tapar y dejarlo cocer 2 h, procurando que no haga borbotones.

❧ Mientras tanto, se van preparando las hortalizas. Las zanahorias y nabos se pelan. Se elimina la parte más verde de los puerros, se lavan y se parten en dos, un trozo verde claro y otro blanco, y se atan en dos manojos. Se lavan también el apio y el repollo y éste se parte en 4 trozos, eliminando la parte dura.

❧ Preparación del *farz* o relleno: separar 2 dls de caldo de cocción y pasarlos a un cazo, agregar la mantequilla y fundirla. Tamizar la harina sobre una ensaladera y añadirle el contenido del cazo, la leche, la crema, el huevo y el azúcar. Mezclarlo con una espátula, hasta obtener una pasta homogénea, agregar las pasas y seguir mezclando. Envolver la pasta obtenida con una gasa y atar los dos extremos con hilo de cocina, sin apretar demasiado.

❧ Cuando la carne haya hervido 2½ h, agregar a la olla los puerros, las zanahorias y los nabos. Cuando el caldo vuelva a hervir, agregar el relleno. Dejarlo cocer todo junto 1½ h, procurando que no haga borbotones.

❧ Mientras tanto, cocer en una olla aparte el repollo: escaldarlo 5 min., escurrirlo y pasarlo a una sartén grande con la mantequilla, sal y pimienta. Taparlo y dejarlo cocer 1 h a fuego muy lento, hasta que esté muy tierno. Reservarlo al calor.

❧ Cuando las carnes, las hortalizas y el relleno estén cocidos, retirarlos de la olla, colar el caldo y pasarlo a una sopera.

❧ Cortar las carnes en lonchas (rebanadas) y colocarlas en una fuente rodeadas de las hortalizas y el relleno desmigajado. Debe servirse en plato hondo, con un poco de cada cosa y todo regado de caldo.

6 personas        *Fptografía en la pág. 79*

LOMO DE CERDO CON CIRUELAS (ARRIBA) Y LOMO DE CERDO CON CASTAÑAS (ABAJO)

*Périgord*

## PORC AUX CHÂTAIGNES

LOMO DE CERDO CON CASTAÑAS

1 kg de lomo de cerdo deshuesado y limpio
sal y pimienta
4 dientes de ajo
1 cucharada de aceite
25 grs de mantequilla
3 cucharadas de vermut blanco seco

½ cucharadita de azúcar
750 grs de castañas

❧ Pedir en la carnicería que aten el lomo. Salpimentarlo. Pelar los ajos.

❧ Calentar el aceite en una cacerola ovalada, honda y que disponga de tapa, donde la carne quepa holgadamente. Añadir la mitad de la mantequilla y los ajos y dorar en esta grasa la carne por todos los lados.

✤ Retirar la carne de la fuente y tirar la grasa que quede. Verter en la fuente el vermut y el azúcar y reducirlo un momento a fuego vivo, rascando el fondo para despegar la sustancia de la carne. Volver a poner la carne en la cacerola y remojarla por todos los lados con el jugo. Añadir los ajos y 1 dl de agua. Cuando rompa el hervor, tapar la fuente y dejarla cocer 45 min. a fuego lento, dándole la vuelta a la carne dos veces.

✤ Mientras tanto, se preparan las castañas. Darles un corte horizontal y cocerlas durante 5 min. Quitarles la cáscara y la piel interior.

✤ Cuando la carne haya cocido 45 min., se agregan las castañas a la cacerola. Dejarla cocer 45 min. más, removiendo de vez en cuando.

✤ Cuando la carne esté a punto, colocarla en una fuente, rodeada de castañas. Añadir el resto de la mantequilla al jugo que quede en la cacerola y removerla hasta que se funda. Bañar con esta salsa las castañas y servir al momento.

4 personas

*Périgord - Picardía*

## PORC AUX PRUNEAUX
LOMO DE CERDO CON CIRUELAS

1 kg de lomo de cerdo deshuesado
    y desengrasado
30 ciruelas pasas
8 nueces peladas
2 chalotas
100 grs de panceta ahumada magra
4 hojas de salvia seca
sal y pimienta

4 cucharadas de vino blanco seco
1 cucharada de aceite

✤ Pedir en la carnicería que aten el lomo.

✤ Preparar el relleno: deshuesar 10 ciruelas y picarlas. Picar las nueces, sin que queden demasiado finas. Pelar y picar muy finas las chalotas. Quitar la corteza de la panceta, picarla menuda y dorarla, junto con las chalotas en una sartén, mezclando a menudo, durante 5 min. Ya fuera del fuego, añadirle la salvia desmenuzada, la pimienta, las nueces picadas, una cucharada de vino y las ciruelas.

✤ Deshuesar las 20 ciruelas restantes, procurando hacerles sólo un agujero. Introducir en cada una de ellas una cucharadita del relleno que hemos preparado y volverlas a cerrar.

✤ Para poder rellenar el lomo se traspasa a todo lo largo con un cuchillo muy afilado, practicándole dos cortes en forma de cruz. También hay que hacer cortes pequeños formando cruces por toda la superficie.

✤ Embutir dentro de la carne el relleno que quede, apretándolo bien y procurando que no se vea por fuera.

✤ Untar ligeramente con aceite una fuente de horno donde quepa justo el lomo con las ciruelas. Untar el lomo con aceite y colocarlo en la fuente. Meterla en el horno y encender éste a 215ºC. Dejar que se ase durante 30 min.

✤ Pasado este tiempo, rodear la carne con las ciruelas y rociarlas con el vino restante. Debe permanecer 1 h más en el horno, bajando un poco el calor. Disponer el lomo en una fuente de servicio, rodeado de ciruelas y sacarlo a la mesa.

4 personas

## Ile de France

# NAVARIN PRINTANIER
ESTOFADO DE PRIMAVERA

*El 20 de octubre de 1827, los ejércitos francés, inglés y ruso derrotaron a la flota turco-egipcia en la localidad griega de Navarin durante la guerra de independencia de Grecia. Se cree que se dio el nombre de navarin a un estofado de cordero con hortalizas en recuerdo de ese hecho bélico.*

1½ kg de carne de cordero: paletilla,
    falda y pescuezo mezclados
sal y pimienta
200 grs de tomates (jitomates) maduros
2 dientes de ajo
1 ramillete de hierbas finas: 1 hoja de laurel,
    1 ramita de tomillo y 6 de perejil
1 cucharada de aceite
50 grs de mantequilla
1 cucharada de harina
½ l de caldo de pollo
500 grs de guisantes (chícharos)
500 grs de zanahorias muy pequeñas
500 grs de nabos tiernos pequeños
18 cebolletas redondas
200 grs de judías verdes (ejotes)
1 cucharadita de azúcar
1 cucharada de perifollo picado

✤ Cortar la carne en dados de 5 cm y salpimentarla. Escaldar los tomates, pelarlos, quitarles las semillas y picar la pulpa. Pelar los ajos y partirlos en dos. Formar el ramillete.

✤ Calentar el aceite en una cacerola de 4 l. Agregar la mitad de la mantequilla y dorar en esta grasa la carne. Espolvorearla con la harina y dorarla 1 min. más. Añadir el tomate, el caldo, el ramillete y los ajos. Mezclarlo todo bien, tapar y dejarlo cocer 1½ h a fuego lento.

✤ Mientras, se van preparando las hortalizas. Desgranar los guisantes. Pelar las zanahorias y los nabos. Pelar las cebolletas (la parte verde se tira). Quitar la hebra a las judías verdes y después de lavarlas darles un hervor de 5 minutos. Escurrirlas.

✤ Fundir el resto de la mantequilla en una sartén grande. Añadir las zanahorias, los nabos y las cebolletas y rehogarlo todo 5 min. a fuego suave, removiendo continuamente. Agregar las judías verdes y los guisantes y espolvorear con azúcar, sal y pimienta. Dejar que las hortalizas se doren 2 min. más y rociarlas con 2 dl del caldo de cocción de la carne. Cocerlas a fuego lento durante 15 min.

✤ Cuando la carne haya hervido 1½ h, agregar las hortalizas a la cacerola. Darle al conjunto un hervor de 5 min. y a continuación sacar la carne y las verduras a una fuente honda y reservarlas al calor. Reducir el jugo de la cocción hasta que se espese y retirar los ajos y el ramillete. Añadir el perifollo y mezclar. Bañar la carne y las hortalizas con esta salsa y servir enseguida.

6 personas                    *Fotografía en la pág. 66*

## Bretaña

# GIGOT D'AGNEAU À LA BRETONNE
PIERNA DE CORDERO A LA BRETONA

*Las judías blancas, una de las legumbres más famosas de Bretaña, enteras o en forma de puré, son el ingrediente principal de la preparación denominada à la bretonne.*

1½ kg de judías (ejotes) tiernas para desgranar
150 grs de zanahorias
1 cebolla de 100 grs
2 clavos de especia

PIERNA DE CORDERO A LA BRETONA (IZQUIERDA) Y COCIDO CON RELLENO (DERECHA, RECETA EN LA PÁG. 74)

6 dientes de ajo

1 ramillete de hierbas finas: 1 hoja de laurel,
   1 ramita de tomillo y 6 de perejil

1 pierna de cordero de 1¾ kg

sal y pimienta

2 cucharadas de aceite de cacahuete

25 grs de mantequilla

✣ Desgranar las judías. Pelar las zanahorias y partirlas en trozos grandes. Pelar la cebolla y pincharle los clavos. Pelar 4 ajos y partirlos en dos. Formar el ramillete. Poner todos estos ingredientes en una olla y cubrirlos con agua abundante. Cocerlos a fuego muy suave durante 1½ h añadiendo la sal cuando falte ½ h.

✣ Una hora antes de que las judías estén listas, encender el horno a 245°C. Pelar los 2 ajos restantes y cortar cada uno en 6 laminitas. Hacer agujeros en la pierna con la punta de un cuchillo y en cada uno meter un trocito de ajo. Seguidamente, engrasarla con aceite y salpimentarla. Engrasar una fuente de horno grande con parrilla y poner la pierna sobre ésta, con el lado más redondeado hacia abajo.

✣ Meter la fuente en el horno. Después de 20 min. darle la vuelta a la pierna, bajar un poco el horno y dejar que se ase 25 min. más, vigilando que no se queme el jugo que cae en el fondo; sólo debe caramelizarse. Si se pone muy oscuro, se debe añadir un poco de agua caliente.

✣ Después de 45 min. de cocción, una pierna de este peso está hecha. Darle la vuelta y dejarla reposar 10 min. en el horno apagado.

✣ Cuando las judías estén cocidas, escurrirlas y eliminar el ramillete, la cebolla y el ajo. Tirar la grasa que quede en la fuente de asar la carne y añadir la mantequilla. Pasar a la misma fuente las judías y removerlas para que se envuelvan en la mantequilla fundida. Verterlas en otra fuente. Disponer la pierna en una fuente. Se sirve una loncha de carne acompañada de judías.

6 personas

VACA GUISADA CON ANCHOAS (ARRIBA) Y ESTOFADO CORSO CON PASTA (ABAJO)

*Languedoc*

# BROUFADO

VACA GUISADA CON ANCHOAS

1¾ kg de lomo de vaca o res
2 cebollas de 100 grs cada una
4 cucharadas de aceite de oliva
1 cucharada de vinagre de vino añejo
½ l de vino blanco seco
5 cls de coñac
2 dientes de ajo pelados y partidos en dos
1 ramillete de hierbas finas: 1 ramita de tomillo,
    6 de perejil y 1 hoja de laurel

sal y pimienta
4 pepinillos
3 cucharadas de alcaparras escurridas
3 anchoas en salazón
1 cucharada de fécula de patata

❧ Partir la carne en dados de 5 cm. Pelar las cebollas y cortarlas en finas tiras longitudinales. Poner en una ensaladera 2 cucharadas de aceite, el vinagre, el vino y el coñac. Agregar la cebolla y la carne y mezclarlo todo bien. Tapar el recipiente y meterlo en el frigorífico. Dejarlo en maceración 12 h.

♣ Pasado este tiempo, encender el horno 180°C. Pasar el contenido de la ensaladera a una fuente de horno de 4 l de capacidad. Añadir los ajos, el ramillete, sal y pimienta. Llevarlos a ebullición y retirarlos del fuego. Tapar la fuente y meterla en el horno durante 4 h.

♣ Mientras se cuece la carne, cortar los pepinillos en rodajitas finas; aclarar y escurrir las alcaparras; lavar las anchoas para que pierdan toda la sal y cortarlas en trocitos.

♣ Pasadas 4 h. de cocción, añadir a la carne las alcaparras y las anchoas y dejar que cueza 1 h más. Hecho esto, sacar los trozos de carne a una fuente y reservarlos. Eliminar el ramillete.

♣ Disolver la fécula en dos cucharadas de agua fría y agregarla a la salsa hirviendo. Dejar que cueza 2 min. más, sin dejar de remover, hasta que la salsa espese. Añadir los pepinillos, volver a poner la carne en la fuente de horno y darle un hervor de 5 min. Servirla enseguida.

6 personas

*Córcega*

# STUFATU
ESTOFADO CORSO

*Stufan significa estofado en corso. el vocablo se aplica a numerosos platos preparados a fuego lento.*

1¼ kg de carne de vacuno para guisar:
    aguja, espaldilla, aleta.
250 grs de jamón curado ahumado
250 grs de cebollas
6 dientes de ajo
1 ramillete de hierbas finas: 1 ramita de romero,
    1 de tomillo, 6 de perejil y 1 hoja de laurel

500 grs de tomates (jitomates) maduros
4 cucharadas de aceite de oliva
¼ l de vino blanco seco
sal y pimienta
4 pizcas de nuez moscada rallada
30 grs de setas secas

EN EL MOMENTO DE SERVIR:
350 grs de pasta gruesa, fresca o seca
50 grs de mantequilla
100 grs de queso corso de oveja
    o parmesano rallado

♣ Cortar la carne y el jamón en cubos de 2 cm. Pelar las cebollas y partirlas en finas tiras longitudinales. Pelar y picar muy menudos los ajos. Atar el ramillete. Escaldar los tomates, pelarlos, quitar las semillas y machacarlos un poco.

♣ Calentar el aceite en una cacerola de 4 l y rehogar la carne junto con el jamón, la cebolla y el ajo, removiendo, 5 min. Agregar el tomate, el vino y el ramillete, sal, pimienta y nuez moscada y cuando rompa el hervor tapar la cacerola y dejarla cocer 1 h.

♣ Mientras, poner las setas en remojo con ½ l de agua templada. Esperar a que se hinchen.

♣ Cuando la carne haya cocido 1 h, añadir las setas con el agua del remojo, previamente colada. Dejarlo cocer todo 2 h. Cuando la carne esté tierna, eliminar el ramillete.

♣ Preparación de la pasta: poner al fuego agua en una cacerola. Cuando hierva añadir sal y la pasta .Cocer la pasta *al dente,* escurrirla y pasarla a una fuente, añadir la mantequilla y la mitad de la salsa de la carne y mezclar. Espolvorear la carne con pimienta y servirla con la pasta y el queso rallado aparte.

6 personas

*Languedoc*

# CASSOULET
### CASSOULET

*El vocablo* cassoulet *procede de la palabra* cassole, *nombre del recipiente de barro vidriado donde se cuece y gratina el cassoulet. El ingrediente básico son las alubias –producto que llegó a Francia en el siglo XVI a través de España–, que tienen que ser de la región –de las zonas de Cazères o Pamiers– y ser del año. A las alubias se les añaden diferentes carnes según el sitio. La versión más sencilla y, al parecer, la más antigua es la procedente de Castelnaudary, que es la que proponemos aquí. En Carcassonne se añade pierna de cordero y, en época de caza, perdiz.*

750 grs de alubias blancas
500 grs de panceta de cerdo semisalada
250 grs de corteza de cerdo desgrasada
1 salchicha de Toulouse de 500 grs
1 salchichón para cocer, no ahumado
8 dientes de ajo
1 cucharadita de tomillo
sal y pimienta
750 grs de lomo de cerdo fresco deshuesado,
    reservar el hueso
400 grs de tomates (jitomates) maduros
2 puerros (poros) sólo la parte blanca
250 grs de cebollas
2 clavos de especia
1 ramillete de finas hierbas: 1 hoja de laurel,
    1 ramita de tomillo y 6 de perejil
200 grs de grasa de oca
3 cucharadas de pan rallado

✤ Poner en remojo las alubias con abundante agua fría durante 4 h.
✤ Escaldar la panceta durante 5 min., lavarla y escurrirla. Proceder del mismo modo con la corteza. Después de escurrida, cortarla en tiras de unos 3 cm. Enrollar las tiras sobre sí mismas y atarlas. Pinchar la salchicha y el salchichón con un tenedor para que no se revienten al cocer.
✤ Pelar 2 ajos y cortarlos en 6 laminitas cada uno. Poner el tomillo en un tazón y agregarle las laminitas de ajo, sal y pimienta.
✤ Hacer 12 cortes en la superficie del lomo y meter un trocito de ajo en cada uno de ellos.
✤ Escaldar los tomates, refrescarlos, pelarlos, quitarles las semillas y machacar un poco la pulpa. Pelar 4 dientes de ajo y picarlos finamente. Limpiar los puerros y cortarlos en rodajitas. Pelar las cebollas y pinchar en una de ellas los clavos de especia, la otra se pica.
✤ Después de las 4 h de remojo, las judías se escurren. Ponerlas seguidamente en una olla con 3 l de agua fría. Añadir la panceta, los puerros, la cebolla, el ramillete, las cortezas y el hueso del lomo. Cuando rompa el hervor, dejarlo cocer despacio 1½ h.
✤ Mientras tanto, en una olla donde quepa el lomo se funden 100 grs de grasa de oca. Dorar en ella el lomo por todos los lados durante 10 min., retirarlo y reservarlo. Echar en la cacerola la cebolla picada. Dorar la cebolla 5 min., hasta que empiece a dorarse, agregar el ajo picado. Dorarlo 2 min. y añadir el tomate. Rehogarlo 3 min., salpimentar y volver a poner la carne en la olla con este sofrito. Tapar la olla y dejarla a fuego lento durante 1 h.
✤ Cuando la carne haya cocido 1 h y las judías 1½ h, reunirlas, con sus jugos de cocción en la olla de las judías. Añadir las salchichas y el salchichón. Cocerlo todo junto ½ h más.
✤ Pasado este tiempo, encender el horno a 190°C. Retirar las carnes de la olla. Cortarlas en lonchas de ½ cm. Quitar la piel a la salchicha y el salchichón y cortarlos en rodajas de 2

CASSOULET FOTOGRAFIADA EN LANGUEDOC

cm. Quitar el hilo de las cortezas y cortarlas en tiritas. Eliminar la cebolla y el ramillete.

✤ Pelar los 2 dientes de ajo restantes. Frotar con ellos una fuente de barro grande. Colocar en la fuente una capa de judías y sobre ella una capa de carnes mezcladas. Continuar así hasta acabar los ingredientes, terminando con judías.

Fundir el resto de la grasa de oca y verterla encima. Espolvorearla con pan rallado. Meter la fuente en el horno durante 1½ h. Transcurrido este tiempo el potaje se habrá dorado. Servirlo muy caliente en la misma fuente.

8-10 personas

# VERDURAS

FRANCIA ES UN EXTENSO y rico jardín. Los grandes campos cultivados y los huertos proporcionan excelentes productos por doquier.

No hay nada tan agradable como ir a comprar hortalizas y verduras al Marché d'Intéret National de Rungis. Es a ese universo de hierro y hormigón al que los profesionales acuden a buscar lo mejor. Alcachofas violetas de Provenza, coles de Alsacia o Auvernia, endivias de Flandes, judías verdes de Poitou, habas de Aquitania, guisantes (chícharos) de la Vendée, patatas de la Ile de France; todo se puede encontrar allí dependiendo de la estación, y no se acabaría nunca de enumerar las grandes riquezas de los huertos franceses.

Cada hortaliza es expresión de una región. El calabacín y el pimiento traen a la memoria los mercados de Provenza y de la Costa Azul. El mercado de Foreville, en Cannes, constituye un testimonio de la riqueza de las huertas de la región del sol. En Cornouailles, Bretaña, se han entronizado la alcachofa y la patata. La guindilla es el timbre de gloria de la localidad vasca de Espelette. Y si la remolacha (betabel) es un producto septentrional, el cardo, fino, fibroso y primo hermano de la alcachofa, que se come gratinado y con tuétano de vaca, es típico de la región lionesa.

El noble espárrago se puede encontrar tanto en Vineuil (Sologne) como en Pertuis (Lúberon), Village Neuf o Hoerdt (Alsacia) y en la zona de Chinon (Valle del Loira). A quien quiera sustituirlo por el "vulgar puerro le encantará saber que éste iguala a su gran vecino en posibilidades culinarias".

De cada hortaliza existen infinitas variedades. La col, en sus variedades de col rizada, col blanca, lombarda, col verde, coles de Bruselas o coles para *choucroute,* se puede utilizar de mil maneras diferentes. Las alcachofas se sirven guisadas a la *barigoule* o a la vinagreta como guarnición de un paté de *foie gras.*

Las hortalizas se pueden comer en forma de buñuelos; fritas, aliñadas con cebolla, ajo, hierbas, mantequilla y aceite; asadas, estofadas; o cocinadas en un horno, al baño maría, en una cacerola de hierro fundido. Con ellas solas se podría confeccionar toda una comida. Es el caso del *aligot* de Aubrac, un puré de patatas espeso, aromatizado con ajo y mezclado con *tomme* fresco (un queso auvernés), de la *truffade* de Auvernia, lentejas mezcladas con tocino, o de las coles rellenas.

En muchos platos tradicionales franceses, como es el caso del *caussolet* o la *choucroute,* las hortalizas y verduras son los ingredientes principales. Les confieren su sabor, su unidad y su razón de ser. La Edad Media se olvidó un tanto de ellas. El siglo XIX las ocultó bajo un amasijo de complicadas salsas. La *nouvelle cuisine* les ha devuelto su lugar de honor al recomendar a los cocineros que aprovechen su sana variedad.

LENTEJAS A LA AUVERNESA (IZQUIERDA, RECETA EN LA PÁG. 89) Y SETAS RELLENAS (DERECHA, RECETA EN LA PÁG. 89)

*Languedoc*

## POMMES SARLADAISES
PATATAS AL ESTILO DE SARLAT

4 dientes de ajo
750 grs de patatas (papas)
50 grs de grasa de oca
2 cucharadas de perejil
sal y pimienta

❧ Pelar y picar finamente los ajos. Pelar las patatas, lavarlas y cortarlas en rodajas de 3 mm de grueso.

❧ Fundir la grasa de oca en una sartén grande y rehogar las patatas durante 10 min. Agregar el ajo, el perejil picado, la sal y la pimienta. Remover. Tapar la sartén y dejarla a fuego lento durante 20 min., removiendo las patatas varias veces.

❧ Pasar las patatas a una fuente honda y servirlas enseguida muy calientes.

4 personas

*Saboya*

## GRATIN SAVOYARD
PATATAS GRATINADAS AL ESTILO
DE SABOYA

3 dls de caldo de pollo (ver pág. 120)
sal y pimienta
6 pizcas de nuez moscada rallada
600 grs de patatas (papas)
40 grs de mantequilla
125 grs de queso beaufort recién rallado

❧ Encender el horno a 190°C. Poner el caldo de pollo en una cacerola y llevarlo a ebullición a fuego lento. Añadir sal, pimienta y nuez moscada. Retirarlo del fuego.

❧ Pelar, lavar y escurrir las patatas. Cortarlas en rodajitas muy finas con un robot de cocina (procesador).

❧ Untar con mantequilla una fuente de horno de 26x18 cm. Disponer en ella, alternativamente, capas de patatas y queso, comenzando con una de patatas y terminando con una de queso. Verter el caldo de pollo en la fuente y salpicar por encima el resto de la mantequilla en trocitos.

❧ Meter la fuente en el horno y dejar que se cueza unos 50 min., hasta que se dore la superficie del gratinado. Servirlo en la propia fuente.

4 personas

*Provenza*

## BARBOUIADO DE FÈVES ET D'ARTICHAUTS
HABAS Y ALCACHOFAS GUISADAS

1½ kg de habas frescas
1 cebolla de 50 grs
100 grs de panceta ahumada
5 alcachofas de 125 grs cada una
½ limón
2 cucharadas de aceite de oliva
1 ramita de tomillo fresco
1 ramita de ajedrea fresca
sal y pimienta

❧ Desgranar las habas y quitarles también el hollejo. Pelar la cebolla y picarla menuda. Quitar la corteza a la panceta y cortarla en tiritas finas.

PATATAS GRATINADAS AL ESTILO DE SABOYA (ARRIBA IZQUIERDA), PATATAS
AL ESTILO DE SARLAT (ABAJO) Y HABAS Y ALCACHOFAS GUISADAS (DERECHA)

✤ Preparar las alcachofas: cortarles el rabo a ras del cogollo (corazón) y quitarles todas las hojas duras. Cortar las puntas de las demás hojas a ½ cm del cogollo. Según se van preparando los cogollos deben frotarse con medio limón para que no se ennegrezcan.

✤ A continuación se parte cada cogollo en cuatro y se elimina la parte de dentro, si estuviese crecida. Cortar cada cuarto en tres rodajas.

✤ Calentar el aceite en una cacerola de 4 l. Agregar la cebolla, la panceta, el tomillo y la ajedrea y rehogarlo 2 min. sin dejar de remover. Añadir las alcachofas y dorarlas 7 u 8 min. a fuego moderado, removiéndolas a menudo; quedarán doradas y casi tiernas.

✤ Verter en la cacerola 3 cucharadas de agua y agregar las habas. Sazonar con pimienta y un poco de sal, tapar la cacerola y dejarlas cocer 5 min. Retirar la cacerola del fuego y eliminar el tomillo y la ajedrea. Servirlas enseguida en una fuente honda.

4 personas

GUISANTES AL ESTILO DE LA VENDÉE

## PETIS POIS À LA VENDÉENNE
GUISANTES AL ESTILO DE LA VENDÉE

1½ kg de guisantes (chícharos) frescos
2 cogollos de lechuga
1 ramita de tomillo
1 ramita de hisopo
1 ramita de ajedrea
1 ramita de perejil
50 grs de mantequilla
16 cebolletas pequeñas y redondas
sal y pimienta
1 cucharadita de azúcar

✣ Desgranar los guisantes. Lavar los cogollos de lechuga y cortarlos en cuatro. Deshojar las hierbas aromáticas.

✣ Fundir la mantequilla en una sartén y rehogar en ella las cebolletas y las hierbas, durante 3 min., hasta que las cebolletas empiecen a dorarse. Agregar los guisantes y rehogarlos 2 min. Agregar los cogollos, sal, pimienta, el azúcar, y el agua fría necesaria para cubrir apenas el conjunto.

✣ Tapar la sartén y dejar cocer los guisantes 1 h removiendo de vez en cuando.

✣ En cuanto estén listos, pasarlos a una fuente honda y servirlos al momento.

4 personas

## EMBEURRÉE DE CHOU
REPOLLO CON MANTEQUILLA

1 repollo (col) blanco de 1 kg
100 grs de mantequilla
sal y pimienta

✣ Eliminar las hojas exteriores del repollo y hervirlo entero en una olla grande durante 10 min. Escurrirlo, cortarlo en cuatro y quitarle el tronco. Cortar cada cuarto en rodajas muy finas, eliminando las pencas que estén más duras.

✣ Fundir la mitad de la mantequilla en una sartén grande y agregar el repollo. Salpimentarlo y dejarlo cocer durante unos 20 min., hasta que esté muy tierno. Retirarlo del fuego, agregar el resto de la mantequilla y mezclar bien, aplastando un poco el repollo.

✣ Servir caliente en una fuente honda.

4 personas                    *Fotografía en la pág. 90*

*Périgord*

## CÈPES FARCIS
SETAS RELLENAS

12 setas frescas o *porcini* grandes
2 dientes de ajo
2 chalotas
100 grs de jamón
100 grs de panceta
3 cucharadas de aceite de oliva
2 cucharadas de perejil picado
sal y pimienta
2 huevos

❧ Quitarle el rabo a las setas y eliminar la parte
terrosa. Lavar rápidamente las cabezas y los
rabos, secarlo todo bien. Picar los rabos.
❧ Pelar los ajos y las chalotas y picarlos muy
menudos. Picar finamente el jamón y la panceta.
❧ Calentar 1 cucharada de aceite en una sartén
y dorar el picadillo de jamón y panceta durante
2 min., sin dejar de remover. Añadir el ajo y la
chalota, mezclar 2 min. y agregar los rabos de
las setas y el perejil picados. Cuando todo esté
dorado, retirarlo del fuego, salpimentar y agregar los dos huevos batidos al contenido de la
sartén, removiendo bien.
❧ Encender el horno a 200°C. Untar ligeramente con aceite una fuente de horno donde
quepan las setas en una sola capa. Colocarlas
boca arriba y rellenarlas con el picadillo que se
ha preparado, rociarlas con el resto del aceite y
meter la fuente en el horno ya caliente. Dejar
que se asen 25 min., hasta que estén tiernas y
el relleno se dore. Pasarlas a una fuente de
servicio y sacarlas a la mesa inmediatamente.

4 personas                    *Fotografía en la pág. 84*

*Auvernia*

## LENTILLES À L'AUVERGNATE
LENTEJAS A LA AUVERNESA

300 grs de zanahorias
300 grs de cebollas
2 clavos de especia
1 ramillete de hierbas finas: 1 hoja de laurel,
    1 ramita de tomillo y 6 de perejil
2 dientes de ajo
500 grs de lentejas
200 grs de panceta ahumada
25 grs de manteca de cerdo
1 cucharada de perejil picado
1 cucharada de cebollino picado
sal y pimienta

❧ Pelar las zanahorias y cortarlas en rodajas de
½ cm. Pelar las cebollas; pinchar en una los
clavos y picar las otras. Atar el ramillete. Aplastar los ajos con la mano.
❧ Lavar las lentejas y ponerlas en una olla.
Agregarles la panceta, la cebolla, los ajos, las
zanahorias y el ramillete. Cubrirlas con abundante agua fría y llevarlas a ebullición a fuego
lento. Dejarlas cocer 45 min.
❧ Pasado este tiempo, sacar de la olla la panceta.
Quitarle la corteza y la parte más grasa y desmenuzar el magro. Fundir la manteca en una
sartén mediana y rehogar las cebollas picadas
durante 3 min., removiendo. Agregar la panceta
desmenuzada y sofreír 2 min. más.
❧ Escurrir las lentejas y retirar la cebolla, el ajo
y el ramillete. Mezclarlas con el sofrito de la
sartén, espolvorearlas con perejil y cebollino y
salpimentarlas. Servirlas inmediatamente.

6 personas                    *Fotografía en la pág. 84*

*Flandes*

# ENDIVES À LA FLAMANDE

ENDIVIAS A LA FLAMENCA

*La endivia es una hortaliza septentrional que fue importada de Bélgica a Francia en 1879. Se denomina también "achicoria de Bruselas" y chicon.*

1 kg de endivias medianas
50 grs de mantequilla
sal y pimienta
1 cucharada de azúcar
4 cucharadas de zumo de limón

✤ Quitarle a las endivias las hojas más exteriores, así como la parte amarga del cogollo. Lavarlas y secarlas.

✤ Encender el horno a 200°C. Untar con 20 grs de mantequilla una fuente de horno en la que quepan las endivias en una sola capa. Colocarlas contrapeadas en la fuente, espolvorearlas con sal, azúcar y pimienta y rociarlas con el zumo de limón. Salpicar por encima el resto de la mantequilla en trocitos.

✤ Meter la fuente en el horno durante 45 min., dando la vuelta a las endivias a media cocción.

✤ Cuando las endivias estén hechas, tiernas y caramelizadas, pasarlas a una fuente de servir y sacarlas inmediatamente a la mesa.

4 personas

*Provenza*

# HARICOTS VERTS À L'AIL

JUDÍAS VERDES AL AJO

750 grs de judías verdes (ejotes) finas
sal
6 dientes de ajo
2 cucharadas de aceite de oliva
pimienta
2 cucharadas de perejil picado
2 cucharadas de pan rallado
20 grs de mantequilla

✤ Quitar la hebra a las judías, lavarlas y escurrirlas. Sumergirlas en abundante agua hirviendo con sal y cocerlas entre 6 y 8 min. destapadas, a fuego vivo. Deben quedar un poco enteras.

✤ Escurrirlas y sumergirlas enseguida en abundante agua muy fría para que conserven un bonito color verde. Escurrirlas de nuevo.

✤ Pelar los ajos y picarlos muy menudos. Rehogarlos en una sartén grande con el aceite, la pimienta, el perejil y el pan rallado, a fuego lento, durante 1 min. Agregar la mantequilla y, cuando se funda, las judías. Recalentarlas un momento sin dejar de remover y servirlas enseguida.

4 personas

JUDÍAS VERDES AL AJO (ARRIBA IZQUIERDA),
REPOLLO CON MANTEQUILLA ( ARRIBA DERECHA,
RECETA EN LA PÁG. 88) Y ENDIVIAS A LA FLAMENCA (ABAJO)

REPOLLO RELLENO (ARRIBA, RECETA EN LA PÁG. 94) Y TARTA DE CREMA DE PATATA (ABAJO)

*Borbonesado*

# TRUFFAT

TARTA DE CREMA DE PATATA

300 grs de harina
150 grs de mantequilla
sal y pimienta
1 cebolla de 125 grs
150 grs de panceta ahumada
1 cucharada de aceite de cacahuete
800 grs de patatas (papas)
150 grs de crema de leche concentrada
6 pizcas de nuez moscada rallada

PARA DORAR:
1 yema de huevo

1 cucharada de leche

PARA EL MOLDE:
10 grs de mantequilla

♣ Tamizar la harina sobre la mesa y hacer un hoyo en el centro. Añadir la mantequilla, 4 cucharadas de agua y 3 pizcas de sal. Trabajar la pasta con la punta de los dedos, sólo hasta que quede homogénea y fina. Formar una bola y dejarla reposar 1 h en el frigorífico.

♣ Mientras tanto, pelar la cebolla y picarla finamente. Picar muy menuda la panceta, con un cuchillo, después de quitarle la corteza. Calentar el aceite en una sartén y dorar la cebolla y la panceta, a fuego lento. Retirar del fuego.

❧ Pelar las patatas y cortarlas en rodajas finas. Mezclarlas en un recipiente hondo con el picadillo de cebolla y panceta y sazonarlas con sal y pimienta.

❧ Cuando la pasta haya reposado 1 h, encender el horno a 215°C. Sacar la pasta del frigorífico y dividirla en dos partes, una mayor que otra. Extender la porción mayor con un rodillo. Untar un molde de tarta con mantequilla y forrarlo con la pasta. Rellenarlo con las patatas. Apretar con los dedos los bordes de las dos hojas de pasta para que queden soldados.

❧ Batir la yema de huevo con la leche y pintar con esta mezcla la superficie del pastel. Meterlo en el horno y dejarlo cocer 1 h 15 min.

❧ Pasado este tiempo, cortar un pequeño redondel de pasta en la superficie del pastel, verter la crema de leche por este agujero y volver a taparlo con la pasta. Meter de nuevo el *truffat* en el horno y dejarlo cocer 10 min. más.

❧ Cuando esté a punto, desmoldarlo sobre una fuente y servirlo caliente.

6 personas

*Provenza*

# BEIGNETS DE LEGUMES
### BUÑUELOS DE HORTALIZAS VARIADAS

PARA LA PASTA:
2 huevos
150 grs de harina
sal
1½ dl de leche
1 cucharada de aceite de oliva

PARA LAS HORTALIZAS:
1 berenjena de 150 grs

1 calabacín (calabacita) de 150 grs
6 flores de calabacín (calabaza)
2 alcachofas de 125 grs cada una
½ limón

PARA FREÍR:
75 cl de aceite de cacahuete

❧ Preparar la masa de los buñuelos: cascar los huevos y separar las claras de las yemas. Reservar las claras en una ensaladera. Tamizar la harina en otra ensaladera, agregar sal, la leche y el aceite sin dejar de batir, añadir las yemas de los huevos y seguir removiendo hasta obtener una pasta fina y homogénea. Tapar el recipiente y dejar reposar la pasta 2 h.

❧ Mientras, se van preparando las hortalizas; la berenjena y el calabacín se lavan y se cortan en rodajas de ½ cm de grueso. Las flores de calabacín se cortan en 2 o 3 trozos, después de quitarles el pistilo. Se limpian las alcachofas, cortándoles los rabos y las hojas duras, así como las puntas de las hojas tiernas. Los cogollos se frotan bien con limón para que no se ennegrezcan y después se cortan en laminitas verticales y se rocían con zumo de limón.

❧ Batir las claras a punto de nieve firme y agregarlas a la pasta.

❧ Calentar el aceite en una freidora o sartén honda. Cuando esté bien caliente, se van bañando las hortalizas en la pasta y a continuación se fríen en el aceite en tandas pequeñas durante 1 o 2 min.

❧ Sacar los buñuelos de la sartén con una espumadera y ponerlos sobre un papel absorbente. Pasarlos a una fuente y servirlos muy calientes.

4 personas                    *Fotografía en las págs. 4-5*

*Auvernia*

# CHOU FARCI
REPOLLO RELLENO

1 repollo (col) verde rizado de 1½ kg
1 redaño de cerdo
200 grs de zanahorias
200 grs de cebollas
1 ramillete de hierbas finas: 1 hoja de laurel,
    1 ramita de tomillo y 10 de perejil.
25 grs de mantequilla
sal y pimienta
¼ l de caldo de pollo (ver pág. 120)

PARA EL RELLENO:
2 dientes de ajo
2 chalotas
1 cucharada de aceite
1 dl de leche
50 grs de miga de pan
400 grs de carne de vaca (o res): redondo
    o lomo bajo
400 grs de lomo de cerdo
200 grs de panceta de cerdo fresca
1 huevo
2 cucharadas de perejil y cebollino picados
½ cucharadita de *quatre-èpices* (ver glosario)
½ cucharadita de hojitas de tomillo secas
sal y pimienta

♣ Hervir el repollo entero durante 10 min. en una olla grande, después de haberle quitado las hojas externas, duras y estropeadas. Escurrirlo y dejarlo enfriar.

♣ Preparar el relleno: Pelar y picar menudos los ajos y chalotas. Rehogarlos con el aceite en una sartén. Hervir la leche en un cacito,

agregarle la miga de pan desmenuzada, retirarla del fuego y remover hasta obtener una pasta. Dejarla enfriar.

♣ Picar juntas las tres carnes en una picadora y pasarlas a una ensaladera. Agregarles el picadillo de ajo y chalota, el pan remojado en leche, el huevo, las especias, el tomillo, sal y pimienta. Mezclar hasta obtener una preparación homogénea.

♣ Para rellenar el repollo hay que asentarlo sobre el tronco y separar con cuidado las hojas exteriores, sin romperlas. Hay que ir retirando las hojas con un cuchillo. Continuar sacando hojas hasta llegar al corazón, donde debe meterse la mitad del relleno. Volver a colocar las hojas en su sitio, intercalando algunas cucharadas de relleno. Recubrirlo todo con hojas. Lavar el redaño de cerdo en agua fría y escurrirlo. Envolver con él el repollo.

♣ Encender el horno a 215ºC. Pelar las zanahorias, lavarlas y cortarlas en rodajitas finas. Pelar las cebollas y cortarlas finamente en sentido longitudinal. Formar el ramillete.

♣ Fundir la mantequilla en una fuente de horno honda con tapa donde el repollo quepa justo y dorar en ella la cebolla y la zanahoria durante 5 min. Agregar el ramillete, sal, pimienta y el caldo. Colocar el repollo sobre este lecho, tapar la fuente y meterla en el horno. Dejar que cueza una hora y media sin tocarlo.

♣ Cuando el repollo esté en su punto, sacarlo a una fuente de servicio. Colar el caldo de cocción y presentarlo en una salsera. El repollo debe servirse partido en cuartos y rociarse con salsa antes de tomarlo.

8 personas                    *Fotografía en la pág. 92*

# FLEURS DE COURGETTE FARCIES
### FLORES DE CALABACÍN RELLENAS

10 grs de mantequilla
18 flores de calabacín (calabaza) grandes
250 grs de requesón fresco
1 cáscara de limón rallada
40 grs de pan rallado
50 grs de queso parmesano recién rallado
2 cucharadas de perejil picado
sal y pimienta
2 claras de huevo
40 grs de mantequilla

❧ Encender el horno a 215°C. Engrasar con mantequilla una fuente de horno rectangular de 32 x 22 cm aproximadamente.

❧ Quitar los pistilos de las flores, procurando no deformarlas ni separar los pétalos. Limpiar las flores con un paño húmedo y reservarlas. Machacar, con un tenedor, el requesón en un tazón. Agregar la cáscara de limón, el pan rallado, la mitad del queso parmesano y el perejil. Salpimentar en abundancia y mezclar bien.

❧ Batir las claras a punto de nieve e incorporarlas a la mezcla anterior. Rellenar cada flor con una parte de esta mezcla y enrollarlas hasta que queden completamente cerradas.

❧ Disponer las flores rellenas en la fuente de horno. Fundir la mantequilla en una sartén pequeña y bañar con ella las flores. Espolvorear por encima el resto del queso parmesano.

❧ Dejar que cueza durante 15 min. o hasta que las flores se hinchen y se doren. Servir inmediatamente.

6 personas                    *Fotografía en las págs. 4-5*

# TIAN DE COURGETTES
### CALABACINES COCIDOS CON TOMATES Y CEBOLLETAS

*Tian es el nombre del recipiente de barro barnizado en el que se cuecen y gratinan ciertas preparaciones. Dicho nombre se aplica a todos los gratinados provenzales.*

500 grs de cebolletas
800 grs de calabacines (calabacitas) medianos
750 grs de tomates (jitomates)
2 dientes de ajo
1 ramita de tomillo fresco
1 ramita de ajedrea fresca
6 cucharadas de aceite de oliva
sal y pimienta

❧ Pelar las cebolletas y cortarlas en rodajas de ½ cm. Lavar los calabacines y los tomates y secarlos. Cortar los calabacines en rodajas oblicuas de ½ centímetro de espesor. Cortar también los tomates en rodajas finas. Pelar los ajos y picarlos menudos. Desmenuzar las hojas de tomillo y la ajedrea.

❧ Encender el horno a 200°C. Calentar 4 cucharadas de aceite en una sartén grande y rehogar las cebolletas 8 min. a fuego lento. Añadir el ajo, sal y pimienta y rehogar 2 min. más.

❧ Pasar el contenido de la sartén a una fuente de horno. Colocar alternadas las rodajas de calabacín y tomate, formando cuatro filas a lo largo de la fuente. Espolvorearlas con tomillo y ajedrea, rociarlas con el resto de aceite, sal y pimienta.

❧ Meter la fuente en el horno durante 1 h, vigilando la cocción. Las hortalizas deben rehogarse, dorándose muy ligeramente. Servir caliente o frío en la fuente de horno.

4-5 personas                    *Fotografía en las págs. 4-5*

*Provenza*

## ARTICHAUTS À LA BARIGOULE
ALCACHOFAS ESTOFADAS

*Las alcachofas llegaron a Francia con Catalina de Médicis. Al principio se asaban simplemente, como las setas. Barigoulo es el nombre de una seta en dialecto provenzal. La receta se transformó poco a poco en este aromático plato, al que se conoce todavía por su nombre primitivo.*

12 alcachofas tiernas de unos 125 grs cada una
1 limón
4 cebollas nuevas grandes
3 zanahorias pequeñas
3 dientes de ajo
4 cucharadas de aceite de oliva
1 ramita de tomillo
1 hoja de laurel
1 dl de vino blanco seco
sal y pimienta

❧ Quitarle el rabo a las alcachofas, a 2 cm del cogollo (corazón). Quitar todas las hojas duras, y las tiernas cortarlas a 2 cm del cogollo. Limpiar el cogollo y el tallo de las alcachofas y frotarlas con medio limón.
❧ Pelar las cebollas y cortarlas en finas tiras longitudinales. Pelar las zanahorias y cortarlas en rodajitas. Pelar los ajos y partirlos en laminitas.
❧ Calentar el aceite en una cacerola donde quepan justas todas las alcachofas. Rehogar 5 min. las cebollas y las zanahorias, sin que se doren. Añadir el ajo y refreírlo 1 min. Añadir los fondos de alcachofa con el tomillo desmenuzado y la hoja de laurel. Rehogar 2 min.

removiendo. Agregar el vino y 1 dl de agua. Salpimentar, tapar y dejar cocer las alcachofas a fuego lento 1 h más o menos, hasta que estén muy tiernas y envueltas en un caldo muy reducido. Servirlas tibias.

4 personas

*Aquitania*

## CÈPES À LA BORDELAISE
SETAS A LA BORDELESA

750 grs de setas pequeñas frescas
2 dientes de ajo
4 cucharadas de aceite de oliva
3 cucharadas de perejil picado
sal y pimienta

❧ Cortar el pedúnculo de las setas, a ras de la cabeza. Lavarlas rápidamente en agua corriente y secarlas. Pelar los ajos y picarlos menudos.
❧ Calentar el aceite en una sartén amplia, a fuego vivo, y saltear las setas. Refreírlas a fuego muy vivo hasta que no suelten agua. Retirarlas de la sartén y agregar el picadillo de ajo y perejil. Sofreírlo 2 min. y retirarlo de la sartén.
❧ Pasar de nuevo las setas a la sartén. Espolvorearlas de ajo y perejil y salpimentarlas. Tapar y dejarlas cocer 30 min.
❧ Pasado este tiempo, sacar las setas a una fuente. Reducir el jugo que haya quedado de la cocción hasta que se espese y bañar con él las setas. Servirlas enseguida.

4 personas

# POSTRES

BRILLANT SAVARIN OPINABA que el queso era "el primero de los postres". Pero los quesos franceses, tan variados, no son más que un preludio. Francia, tierra amante de la buena mesa, no escapa a la gran tentación de los sabores dulces. En los mercados del este de Francia se siente la influencia de Europa Central donde los cafés son el punto de reunión. El pueblo de Metz, por ejemplo, cuenta con uno de los mejores maestros chocolateros del país, Pierre Koening, quien exporta sus trufas, pralinés y chocolates semidulces a todo el mundo.

No cabe duda de que Estrasburgo es una de las ciudades más deliciosamente dulces del mundo. Abundan los productos típicos, empezando por el *kugelhopf;* el *büeraweka* (pan de fruta seca); el *bettelmann* ("mendigo"), postre hecho a base de avellanas, almendras, higos y pasas; y el *schnacke,* conocido en toda Francia como *pain aux raisins.* Por lo demás, muchas de las especialidades del este de Francia se han extendido a otras partes del país: la *crema chantilly,* por ejemplo, la podemos encontrar en la Ile de France. Otras regiones tienen sus especialidades preparadas con recursos locales: es el caso de Bretaña, con sus *kouigh aman au miel,* sus *fars* rellenos de ciruelas pasas, sus *quatre-quarts* y sus *galettes,* pastas hechas con mantequilla salada. El *clafoutis* —mezcla de pasas y frutas— se encuentra por doquier, aunque haya nacido en Limousin. El *baba,* especie de bizcocho, adquiere el nombre de *savarin* en París, donde es servido con crema chantilly.

El helado —introducido a la corte francesa por Catalina de Medici cuando casó con Enrique II en el siglo XVI— no hizo su aparición en Francia sino cien años después, cuando Francesco Procopio abrió el primer café en esa ciudad. Esta dulce tentación y los sorbetes, hechos con toda clase de frutas, conocieron un éxito inmediato. En el siglo XVIII, París tenía cincuenta *limonadiers* que vendían helados en el verano. La dietética moderna ha recomendado el consumo de sorbetes —invento chino muy antiguo divulgado por los persas y los árabes— por ser productos que no usan huevo ni grasa. Utilizando la pulpa de frutas frescas los sorbetes siguen el ritmo de las estaciones. También las tartas se adaptan a las frutas de cualquier región o estación. Las *crêpes* no tienen que ser bretonas necesariamente, como lo demuestran por ejemplo las muy parisinas *crêpes Suzette,* hechas con cáscara de naranja y flameadas dramáticamente en la mesa del comensal.

El postre, que constituye el final de la comida, debe ser también una fiesta para los ojos. Los grandes chefs están de acuerdo en que si no se finaliza con el postre, incluso la comida más fina será motivo de desilusión, y que un postre nunca estará completo si no se le presenta apropiadamente.

BIZCOCHO DE CIRUELAS (IZQUIERDA, RECETA EN LA PÁG. 101) Y KOUIGH AMANN (DERECHA, RECETA EN LA PÁG. 101).

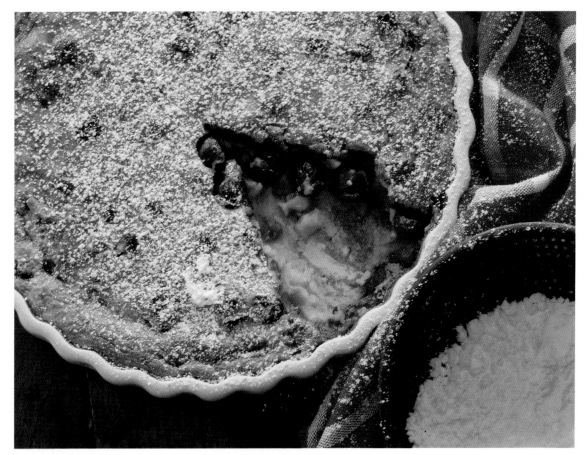

TARTA DE CEREZAS

*Limousin*

# CLAFOUTIS

TARTA DE CEREZAS

750 grs de cerezas negras maduras
10 grs de mantequilla para el molde
2 huevos enteros y 1 yema
1 sobre de azúcar vainillada
75 grs de mantequilla
75 grs de harina
G l de leche

❧ Encender el horno a 200°C. Lavar las cerezas, escurrirlas y secarlas.

❧ Untar con mantequilla un molde de material refractario donde quepan las cerezas en una sola capa. Colocar las cerezas en el molde.

❧ Batir los huevos con el azúcar en una ensaladera, hasta que la mezcla empiece a blanquear.

❧ Fundir la mantequilla a fuego muy suave y agregarla a los huevos, sin dejar de batir. Incorporar la harina tamizada y la leche. Batir hasta que la pasta quede homogénea y a continuación verterla en el molde, sobre las cerezas.

✤ Meter el molde en el horno durante 40 minutos, hasta que el *clafoutis* esté dorado. Sacarlo del horno y espolvorearlo con azúcar vainillada. Servirlo templado en el mismo molde.

6 personas

*Bretaña*

# KOUIGH AMANN
KOUIGH AMANN

*Pastel de la región de Douarnenez, cuyo nombre significa pan y mantequilla.*

200 grs de mantequilla media sal
300 grs de masa de pan (ver pág. 121)
200 grs de azúcar
20 grs de mantequilla para el molde
25 grs de azúcar para espolvorear

✤ Poner la mantequilla en un plato hondo y trabajarla con un tenedor para que se ablande y tenga la consistencia de la masa de pan.

✤ Extender la masa de pan sobre una mesa ligeramente enharinada hasta obtener un rectángulo de 1 cm de grueso. Untarla con mantequilla, dejando un borde de 2 cm. y espolvorearla con azúcar; doblar la masa tres veces en un sentido y otras tres en el otro y aplanarla con ayuda del rodillo, dejándola lo más fina posible, cuidando de que la mantequilla y el azúcar no se salgan. Volver a doblar la masa.

✤ Untar con mantequilla un molde para tarta de 26 cm de diámetro. Poner la masa en el molde y aplastarla delicadamente con los dedos hasta que adquiera la forma del molde y tenga un espesor uniforme.

✤ Dejarla reposar 30 min. Cuando lleve 10 min. de reposo, se enciende el horno a 200ºC.

Pasados los 10 min. de reposo, meter el pastel en el horno y dejarlo cocer 35 min., rociándolo durante los últimos 15 min. con la mantequilla que aflora a la superficie.

✤ Cuando el pastel esté cocido, sacarlo del horno y espolvorearlo de azúcar. Dejarlo enfriar, desmoldarlo y servirlo.

6 personas                    *Fotografía en la pág. 98*

*Bretaña*

# FAR
BIZCOCHO CON CIRUELAS

350 grs de ciruelas pasas
½ l de leche
3 huevos
125 grs de azúcar
75 grs de harina
20 grs de mantequilla

✤ Remojar las ciruelas en agua caliente durante 2 h. Calentar la leche en un cacito a fuego suave.

✤ Encender el horno a 200ºC. Cascar los huevos en una fuente y añadir el azúcar. Batirlos hasta que la mezcla empiece a blanquear. Incorporar la harina y después la leche, sin dejar de batir.

✤ Untar con mantequilla un molde para tarta hondo. Escurrir bien las ciruelas y colocarlas en el fondo. Bañarlas con la masa que tenemos preparada y meter el molde en el horno. Dejarlo cocer 45 min., hasta que la superficie esté dorada.

✤ Sacar el molde del horno y dejarlo enfriar. Servirlo templado en el mismo molde.

6 personas                    *Fotografía en la pág. 98*

## OREILLETES

OREILLETES

*Estos buñuelos se hacen en toda Francia el martes de Carnaval, en Cuaresma, en Navidad y con ocasión de las fiestas familiares.*

300 grs de harina
la ralladura de 1 limón
3 huevos
30 grs de mantequilla blanda
3 cucharadas de agua de azahar
3 pizcas de sal
2 l de aceite de cacahuete
azúcar

✤ Tamizar la harina sobre la mesa y hacer un hoyo en el centro. Agregar la ralladura, los huevos, la mantequilla, el azahar y la sal. Mezclar con la punta de los dedos, desde el centro hacia el exterior y a continuación aplastarla con la palma de la mano, trabajando de esta forma hasta obtener una masa lisa, blanda y que se despegue de los dedos.

✤ Formar una bola con la masa, envolverla en una hoja de plástico de cocina y dejarla reposar 4 h en el frigorífico.

✤ Pasado este tiempo, sacar la masa y extenderla lo más fina que sea posible sobre una mesa enharinada, con un rodillo. Cortarla en rectángulos de 8 cm de largo por 4 cm de ancho.

✤ Calentar el aceite en una sartén grande o en una freidora y freír las *oreillettes* en tandas. Requieren sólo unos segundos para quedar infladas y doradas. Darles la vuelta con una espumadera y escurrirlas sobre un papel absorbente. Espolvorearlas generosamente con azúcar.

Entre 20 y 30 *oreillettes*    *Fotografía en la pág. 6*

## CRÊPES SUZETTE

CRÊPES SUZETTE

*¿Los crêpes Suzette se inventaron en 1896 en el Café de París para el Príncipe de Gales —que habría ido acompañado de una tal Suzette— o en 1898 en el restaurante Maire? El misterio sigue en pie.*

PARA LA PASTA:
125 grs de harina
½ l de leche
2 huevos
1 cucharada de azúcar
1 sobre de azúcar vainillada
4 pizcas de sal
1 cucharada de aceite de cacahuete

PARA EL RELLENO:
2 mandarinas
100 grs de mantequilla blanda
100 grs de azúcar
3 cucharadas de coñac
1 dl de curaçao

PARA LA COCCIÓN:
20 grs de mantequilla

⚜ Preparación de la pasta: mezclar con ayuda de una batidora la harina, la leche, los huevos, las dos clases de azúcar, la sal y el aceite. Cuando se haya obtenido una pasta fina, colarla y dejarla reposar 1 h.

⚜ Fundir la mantequilla en una sartén, de ser posible antiadherente, y pasarla a un tazón. Verter un poco de pasta en la sartén con un cacillo y procurar que se extienda hasta cubrir todo el fondo, inclinando la sartén para todos los lados. Cocer la pasta 40 seg. y darle la vuelta con una espátula, dejándola cocer 30 seg. por la otra cara. Proceder de igual modo hasta que se acabe la masa y reservar los *crêpes* al calor.

❧ Unos 10 min. antes de servir, lavar y secar las mandarinas. Rallar la cáscara sobre la sartén donde han cocido los crêpes. Partir las mandarinas por la mitad, exprimirlas y verter el zumo en la sartén. Agregar la mantequilla, el azúcar, 1 cucharada de coñac y 3 de curaçao, y dejarlo hervir hasta obtener un jarabe espeso.

❧ Ir pasando los *crêpes* por la sartén, doblarlos en cuatro y colocarlos sobre una fuente caliente. Si queda jarabe, echarlo por encima de los *crêpes*.

❧ Calentar el resto del coñac con curaçao en un cacito. Llevar los *crêpes* a la mesa muy calientes, verter sobre ellos la mezcla de coñac y curaçao hirviendo y prenderla. Tomarlos en cuanto se extinga la llama.

6 personas

*Ile de France*

## CREME CARAMEL
FLAN CON CARAMELO

1 barra de vainilla
1 l de leche
200 grs de azúcar
½ cucharadita de zumo de limón
8 huevos

❧ Encender el horno a 170°C. Partir la vainilla en dos en sentido longitudinal y ponerla en una cacerola con la leche. Poner la cacerola a fuego lento y cuando rompa a hervir retirarla y dejarla reposar tapada.

❧ Preparar el caramelo: poner 100 grs de azúcar en un cazo pequeño con el zumo de limón y dos cucharadas de agua. Ponerlo al fuego has-

FLAN CON CARAMELO

ta que se forme un caramelo de color ámbar. Verter el caramelo en una flanera de paredes onduladas o un molde para soufflé, que tenga 2 l de capacidad. También se puede repartir en moldes individuales. Procurar que el caramelo bañe el fondo y las paredes del molde.

❧ Cascar los huevos en una fuente grande y agregarles el azúcar. Batirlos hasta conseguir una mezcla homogénea y agregar la leche caliente, sin dejar de batir. Pasar la mezcla por un colador fino sobre el molde.

❧ Poner el molde dentro de otro recipiente con agua y meterlo en el horno. Debe cocer entre 45 min. y 1 h. dependiendo de si se hace en un molde grande o en varios pequeños. Está en su punto cuando al pincharlo con un cuchillo éste sale seco.

❧ Sacar el flan del horno y dejarlo enfriar. Se puede servir a temperatura ambiente, después de desmoldarlo sobre un plato frío. Si se desea se puede conservar en el frigorífico y para servir, se mete el molde unos instantes en agua caliente antes de desmoldarlo.

6 u 8 personas

*Bretaña*

# TARTE AUX FRAISES
TARTA DE FRESAS

10 grs de mantequilla para el molde
300 grs de pasta dulce (ver pág. 121)
200 grs de jalea de frambuesas
1 kg de fresas

❀ Encender el horno a 215°C. Untar con mantequilla un molde para tarta de 26 cm de diámetro.

❀ Extender la pasta con el rodillo y forrar con ella el molde. Echar dentro unas cuantas judías y meter el molde en el horno durante 15 min. Sacar las judías y dejar cocer la pasta otros 20 min., hasta que el fondo de pasta esté dorado. Sacarlo del horno y enfriar la tartaleta obtenida sobre una rejilla, ya fuera del molde. Este fondo se puede preparar con varias horas de antelación.

❀ Una hora antes de servir la tarta se pone la jalea en un cazo, con 2 cucharadas de agua. Fundir la jalea a fuego lento y dejarla enfriar.

❀ Lavar las fresas, quitarles los rabos y escurrirlas bien. Reservarlas en el frigorífico.

❀ Un cuarto de hora antes de servir, rellenar el fondo de pasta con las fresas, con el pico para arriba. Bañarlas con la jalea y servir la tarta.

8 personas

TARTA DE FRESAS (ARRIBA) Y TARTA
DE MANZANA A LA ALSACIANA (ABAJO)

*Alsacia*

# TARTE AUX POMMES À L'ALSACIENNE
TARTA DE MANZANA A LA ALSACIANA

10 grs de mantequilla para el molde
300 grs de pasta dulce (ver pág. 121)
500 grs de manzanas, golden o reinetas
4 yemas de huevo
100 grs de azúcar
1 sobre de azúcar vainillada
4 pizcas de canela en polvo
2 dls de nata líquida (crema)

❀ Encender el horno a 215°C. Untar con mantequilla un molde hondo para tarta, de ser posible de porcelana refractaria, de unos 26 cm de diámetro. Extender la pasta con un rodillo y forrar con ella el molde.

❀ Cortar las manzanas en cuartos, pelarlas y quitarles el corazón. Cortar cada cuarto en 4 laminillas y repartirlas sobre el fondo de pasta. Deben colocarse en forma de rosetón, desde fuera hacia adentro, de modo que queden ligeramente montadas unas sobre otras. Meter el molde en el horno ya caliente y dejarlo cocer 15 min.

❀ Mientras tanto, batir las yemas, agregándoles el azúcar, el azúcar vainillada y la canela. Añadir la nata y batir un poco más. Bañar con esta preparación las manzanas a medio cocer y volver a meter el molde en el horno. Dejar que cueza 35 min.

❀ Cuando la tarta esté cocida, sacarla del horno y deslizarla del molde a una fuente. Conviene servir esta tarta templada.

6 personas

HOJALDRE CON RELLENO DE ALMENDRA

*Orléanais*

# PITHIVIERS
HOJALDRE CON RELLENO DE ALMENDRA

PARA EL RELLENO:

150 grs de almendras molidas

150 grs de azúcar glass

150 grs de mantequilla blanda

2 huevos

2 cucharadas de ron dorado

600 grs de masa de hojaldre (ver pág. 122)

PARA DORAR:

1 yema de huevo

1 cucharada de leche

2 cucharadas de azúcar glass

❧ Preparación del relleno: mezclar la harina de almendras y el azúcar en un recipiente. Batir la mantequilla en una fuente hasta que esté cremosa y agregarle la mezcla anterior. Añadir los huevos y el ron y mezclar bien.

❧ Encender el horno a 215°C. Cortar la masa de hojaldre en dos partes iguales y extender éstas en dos discos de 30 cm de diámetro. Con el fin de que tengan una forma circular perfecta, se coloca sobre la masa un plato grande o un molde y a continuación se corta la masa todo alrededor, manteniendo el cuchillo derecho, para que la masa no se rompa y suba regularmente al cocer.

❧ Mojar ligeramente una charola de horno y poner encima uno de los discos de masa de hojaldre. Cubrirlo con la pasta de almendras, dejando un borde de 1 cm. Poner encima el otro disco con la cara que estaba pegada a la mesa hacia arriba. Apretar bien todo alrededor para que los dos discos se peguen y dar por todo el borde golpecitos con un cuchillo, espaciados entre sí 1 cm.

❧ Batir la yema con la leche y pintar con esta mezcla la superficie del pastel, procurando que no caiga por el borde porque le impediría subir.

❧ Con la punta de un cuchillo se hacen en la superficie del pastel unos cortes superficiales en forma de arcos de círculo, confluyendo en el centro.

❧ Meter el pastel en el horno 30 min. Espolvorearlo con azúcar glass y cocerlo 5 min. más, para que la superficie se abrillante y se caramelice ligeramente.

❧ Pasarlo a una fuente y servirlo cuando esté templado.

6 personas

# PARIS-BREST
PARÍS-BREST

*En 1891, el propietario de una pastelería parisina, al ver pasar desde su establecimiento la carrera ciclista París-Brest, ideó este pastel, cuya forma imita las ruedas de una bicicleta.*

1 cucharadita de aceite de cacahuete
400 grs de pasta para choux (ver pág. 120)

PARA EL BAÑO:
1 clara de huevo
50 grs de almendras fileteadas
2 cucharadas de azúcar glass

PARA EL RELLENO:
3 ½ dls de leche
3 yemas de huevo
80 grs de azúcar
½ palito de vainilla
50 grs de harina
100 grs de praliné en polvo (ver glosario)
80 grs de mantequilla blanda

✤ Encender el horno a 215°C. Engrasar ligeramente con aceite una chapa. Poner en el centro un plato de 20 cm. Meter la pasta en una manga pastelera, con una boquilla lisa de 1½ cm de diámetro, y formar alrededor del plato un círculo de pasta, siguiendo el borde. Quitar el plato y formar un segundo círculo de pasta, dentro del primero. Hacer un tercer círculo, de modo que monte sobre los dos primeros.

✤ Batir un poco la clara de huevo hasta que haga espuma. Distribuirla con un pincel por la superficie de la pasta y espolvorearla con almendras fileteadas. Meter la charola en el horno, y cuando haya cocido 15 min., regular el termostato a 190°C, y cocer la pasta 15 min.

✤ Preparar el relleno: hervir la leche en un cacito. Batir las yemas, el azúcar y la vainilla en una cacerola grande, hasta que estén blancas. Añadir la harina y seguir mezclando. Desleír la mezcla con la leche caliente, sin dejar de batir.

✤ Poner la cacerola a fuego moderado y cocer la crema, batiendo continuamente, hasta que se espese. Dejarla cocer aún 1 min., retirarla del fuego y esperar a que se enfríe, removiendo de vez en cuando. Incorporar el praliné y la mantequilla, batiendo. Cuando esté completamente fría, meter la crema en el frigorífico.

✤ Cuando la pasta esté cocida, apagar el horno, entornar la puerta y dejarla reposar 10 min. antes de sacarla, para que no se baje. A continuación, sacarla del horno, dejarla enfriar y cortarla horizontalmente a dos tercios de su altura. La parte inferior, que es la que se rellena, debe ser más alta.

✤ Cuando el relleno esté frío, meterlo en una manga pastelera, con una boquilla acanalada de 2 cm de diámetro. Rellenar el pastel con la crema, dejando que se desborde ligeramente, y cubrirlo. Espolvorearlo con azúcar y mantenerlo al fresco antes de servirlo.

6 personas          *Fotografía en las págs. 108-109*

# MADELEINES DE COMMERCY
MAGDALENAS DE COMMERCY

*La invención de las magdalenas se atribuye a Stanislas Leszczynski —el cocinero de María Leszcynka—, a Avice —el cocinero de Talleyrand— y a Madeleine Paulmier —cocinera de madame Perrotin Barmond—*

CUCURUCHOS DE MURAT (ARRIBA) Y MAGDALENAS (ABAJO)

*y son la especialidad de Commercy. Para Marcel Proust significaron el detonador de los recuerdos.*

20 grs de mantequilla para el molde

3 huevos

60 grs de azúcar

½ cucharadita de agua de azahar

60 grs de mantequilla

60 grs de harina

❦ Encender el horno a 190°C. Untar con mantequilla 20 o 24 moldes para magdalenas, según el tamaño.

PÁGINAS ANTERIORES: HUEVOS A LA NIEVE (ARRIBA IZQUIERDA, RECETA EN LA PÁG. 113), MERENGUES CON CHANTILLY (CENTRO IZQUIERDA), PARÍS-BREST (ARRIBA DERECHA, RECETA EN LA PÁG. 107) Y CRÊPES SUZETTE (ABAJO DERECHA, RECETA EN LA PÁG. 102).

❦ Batir los huevos con el azúcar hasta que empiecen a blanquear. Añadir el azahar y la mantequilla y seguir batiendo. Agregar la harina tamizándola y mezclarla con ayuda de una espátula de goma, removiendo de abajo a arriba.

❦ Distribuir la pasta en los moldes, y llenarlos sólo a tres cuartas partes de su capacidad. Meterlos en el horno y cocer las magdalenas unos 15 min., lo justo para que suban y se doren ligeramente. Desmoldarlas y dejarlas enfriar sobre una rejilla antes de servir.

24 magdalenas aproximadamente

*Auvernia*

## CORNETS DE MURAT
### CUCURUCHOS DE MURAT

20 grs de mantequilla para el molde

60 grs de mantequilla

2 claras de huevo

100 grs de azúcar

60 grs de harina

1 cucharada de ron dorado

6 dls de nata líquida muy fría

1 sobre de azúcar vainillada

❦ Encender el horno a 190°C. Untar con mantequilla una charola de horno grande o dos pequeñas.

❦ Fundir la mantequilla en un cazo, retirarla del fuego y dejarla enfriar. Batir las claras hasta que estén espumosas. Agregar el azúcar y mezclar. Tamizar la harina encima, volver a mezclar y agregar la mantequilla y el ron. Batir el conjunto rápidamente.

✤ Ir depositando cucharadas de pasta sobre la charola. La masa se extenderá ligeramente, formando pequeños discos. Meter la charola en el horno de 8 a 10 min., hasta que los discos de pasta estén ligeramente dorados.

✤ Retirarlos del horno y mientras la pasta está caliente, enrollar cada disco sobre sí mismo, dándole la forma de un cucurucho. Para mantener la forma, pueden encajarse ligeramente en cuellos de botellas. Cuando se enfrían, conservan la forma.

✤ Cuando vayan a servirse, batir la nata con el azúcar, hasta que quede muy firme. Rellenar con la nata montada los cucuruchos, con una manga pastelera con una boquilla fina acanalada.

✤ Una vez rellenos, los cucuruchos deben tomarse enseguida. Pueden tenerse preparados de antemano y rellenarse en el momento en que se vayan a servir.

6 personas

*Ile de France*

# MERINGUES À LA CHANTILLY
MERENGUES CON CHANTILLY

*En 1720, durante su exilio en Alsacia, el rey de Polonia Stamislas Leszczynski mandó traer de Suiza al pastelero Gasparini, quien creó el merengue (llamado así por su lugar de nacimiento, Mehringen). La crema chantilly la inventó, en 1714, un chef llamado Vatel, quien trabajaba en el castillo de ese nombre.*

PARA LOS MERENGUES:
4 claras de huevo
150 grs de azúcar
100 grs de azúcar glass

PARA EL CHANTILLY:
½ l de nata líquida muy fría
25 grs de azúcar

PARA LA COCCIÓN:
10 grs de mantequilla
1 cucharada de harina

✤ En primer lugar se preparan los merengues: encender el horno a 110°C. Untar con mantequilla una chapa de horno y enharinarla.

✤ Batir las claras de huevo a punto de nieve muy firme, agregar 50 grs de azúcar, sin dejar de batir, hasta que las claras estén muy lisas y brillantes. Agregar el resto del azúcar y continuar batiendo más despacio. Dejar de batir y agregar el azúcar glass, mezclando con cuidado con una espátula de goma.

✤ Pasar la mezcla a la chapa por medio de una manga pastelera provista de una boquilla acanalada de 2 cm de diámetro.

✤ Cocer los merengues en el horno durante 1 h, más o menos, sin dejar que se tuesten. Hay que vigilar la cocción, para que los merengues queden de color marfil; si empiezan a dorarse, se baja el termostato. Cuando los merengues estén cocidos, despegarlos con una espátula y ponerlos a enfriar sobre una rejilla.

✤ Para el chantilly: batir la nata líquida con una batidora eléctrica hasta que esté firme. Agregar el azúcar sin dejar de batir, hasta que se formen picos.

✤ En el momento de servir, meter la chantilly en una manga pastelera con boquilla pequeña, lisa o acanalada, y ponerla sobre la cara lisa de un merengue. Poner un segundo merengue contra la nata y proceder de igual manera con todos. Servirlo inmediatamente.

16 merengues aproximadamente

## OEUFS À LA NEIGE

HUEVOS A LA NIEVE

1 palito de vainilla
1 l de leche entera
8 huevos
150 grs de azúcar
100 grs de azúcar para el caramelo

✤ Abrir la vainilla y ponerla en una cacerola con la leche. Ponerla al fuego y cuando hierva retirarla y dejarla tapada para que tome sabor.

✤ Cascar los huevos y separar las claras de las yemas. Espolvorear las yemas con 100 grs de azúcar y batirlas hasta que empiecen a blanquear. Agregar la leche caliente, sin dejar de batir, y poner la cacerola a fuego suave, procurando que la mezcla no cueza, sin dejar de darle vueltas. Retirar la cacerola del fuego. Colar la crema obtenida y dejarla enfriar, removiéndola de vez en cuando.

✤ Batir las claras a punto de nieve muy firme y añadirles el resto del azúcar, batiendo con fuerza hasta que se forme un merengue.

✤ Poner a calentar agua en una sartén grande y cuando rompa a hervir bajar el fuego para que no haga borbotones.

✤ Meter en agua fría un cucharón e ir cogiendo con él porciones grandes de clara montada para irlas echando en el agua hirviendo. Entre cada cucharada conviene volver a mojar el cucharón en agua fría para que las claras se deslicen bien. Las claras deben cocer 30 seg. por cada lado.

✤ Cuando todas las claras estén cocidas, sacarlas con una espumadera y colocarlas sobre una rejilla cubierta con un paño, procurando que queden separadas.

✤ En el momento de servir, pasar la crema a una fuente honda y colocar las claras encima formando una cúpula.

✤ Para el caramelo: poner el azúcar en una cazo con tres cucharadas de agua, llevarlo a fuego suave y dejarlo cocer hasta obtener un caramelo de color ambarino. Verterlo en forma de hilillo fino sobre el merengue y servirlo inmediatamente.

6 personas          *Fotografía en las págs. 108-109*

## CREMETS

MOLDES DE CREMA CON FRUTA

4 dls de nata líquida
2 claras de huevo

EN EL MOMENTO DE SERVIR:
nata líquida (crema) fría
frutas de color rojo: fresas, frambuesas, grosellas
azúcar

✤ Batir la nata hasta que suba mucho y forme picos. Batir las claras a punto de nieve muy firme. Mezclar ambas cosas y batirlas juntas durante 10 seg.

✤ Forrar con una gasa 4 moldecitos redondos o en forma de corazón, de un tamaño adecuado para que en cada uno quepa la cuarta parte de la mezcla. Repartir la preparación en los moldes y doblar por encima los picos de la gasa. Meter los moldes en el frigorífico durante 3 h.

✤ Pasado este tiempo, sacarlos, levantar los picos de la gasa y desmoldar cada *cremet* en un plato de postre. Quitarles la gasa y servirlos acompañados de azúcar, nata líquida y las frutas rojas.

4 personas

## Provenza

# TARTE AU CITRON
### TARTA DE LIMÓN

10 grs de mantequillla para el molde
250 grs de pasta dulce (ver pág. 121)
3 limones
4 huevos
125 grs de mantequilla
220 grs de azúcar

♣ Encender el horno a 215°C. Untar con mantequilla un molde para tarta de 24 cm de diámetro. Extender la pasta con el rodillo y forrar con ella el molde. Poner en el fondo unas cuantas judías secas y meter la pasta en el horno durante 15 min.

♣ Mientras, se va preparando el relleno: los limones se lavan, se secan y se ralla la cáscara sobre un tazón. Partir los limones por la mitad, exprimirlos y verter 2 dls de zumo en el mismo tazón donde está la ralladura. Cascar 3 huevos y separar las claras de las yemas; reservar las yemas en un tazón, junto con un huevo entero, y batirlas con un tenedor. Hacer lo mismo con las claras.

♣ Fundir la mantequilla en una cacerola y agregarle 150 grs de azúcar. Mezclar y agregar las yemas y la mezcla de zumo y ralladura. Cocer 5 min. a fuego lento, sin dejar de batir, hasta que la crema se espese. Colarla y dejarla enfriar.

♣ Quitar las judías del molde y cocer el fondo de tarta sólo 10 min. más, hasta que se dore. Sacar y rellenar con la crema de limón. Batir las claras a punto de nieve muy firme e incorporar el resto del azúcar.

♣ Distribuir las claras sobre la tarta. Volver a meter el molde en el horno 10 o 15 min., hasta que las claras empiecen a tostarse. Sacar la tarta del horno y dejarla enfriar. Desmoldarla sin darle vuelta y servirla fría.

6 personas                    *Fotografía en la pág. 6*

## Lorena

# BABA
### BABA AL RON

*Al considerar demasiado seco el kugelhopf, a Stanislas Leszczynsky se le ocurrió la idea de bañarlo con vino de Málaga. Bautizó el nuevo postre con el nombre de "Alí Baba" en honor de las Mil y Una Noches, obra que admiraba de forma muy especial. Después, dicho nombre se convirtió en Baba simplemente y el ron sustituyó al vino de Málaga.*

3 cucharadas de azúcar
1 sobre de levadura liofilizada de 8 grs
3 cucharadas de leche
50 grs de mantequilla
125 grs de harina
2 huevos
3 pizcas de sal
10 grs de mantequilla para el molde

PARA EL ALMÍBAR:
200 grs de azúcar
1 dl de ron dorado

♣ Poner ⅓ del azúcar en un vaso. Agregar 4 cucharadas de agua templada y remover hasta que el azúcar se disuelva. Añadir la levadura en forma de lluvia, mezclar y dejar fermentar la levadura en un lugar templado 10 min., hasta que alcance los bordes del vaso.

♣ Mientras, se va calentando la leche en un cazo y se trabaja la mantequilla con una espátula hasta que esté cremosa.

BABA AL RON

✤ Tamizar la harina sobre una ensaladera, hacer un hoyo en el centro y añadir en él los huevos, la sal, el resto del azúcar, la leche templada y la levadura. Mezclar con una espátula y añadir la mantequilla. Mezclar un poco más y empezar a trabajar la masa a mano, levantándola lo más alto posible y dejándola caer, con el fin de que se airee al máximo.

✤ Untar con mantequilla un molde en forma de corona de 24 cm de diámetro y meter en él la masa. Cubrirlo con un paño y dejar fermentar la masa durante 1 h, hasta que alcance el borde del molde. Meterlo en el horno precalentado a 200ºC y dejarlo cocer 25 min.

✤ Mientras tanto, se va preparando el almíbar: poner el azúcar en un cazo con 1 dl de agua. Llevarlo a ebullición y retirarlo, añadir el ron y mezclar.

✤ Cuando el bizcocho esté cocido, sacarlo del horno y desmoldarlo. Pincharlo por todas partes con una aguja y rociarlo con el almíbar. Recoger el almíbar que haya caído en la fuente y volverlo a rociar por encima del bizcocho, hasta que quede completamente empapado. Meterlo en el frigorífico y dejarlo reposar 4 h antes de servirlo.

6 personas

TARTA DE PERAS

*Anjou*

# POIRIER D'ANJOU

TARTA DE PERAS

250 grs de azúcar
1 palito de vainilla
1 kg de peras (gordas)
100 grs de mantequilla
10 grs de mantequilla para el molde
200 grs de harina

2 cucharaditas de levadura
2 huevos
2 dls de leche
3 cucharadas de jalea de grosella
3 cucharadas de cointreau

✤ Poner al fuego una cacerola grande con 100 grs de azúcar, ½ l de agua y la vainilla partida por la mitad en sentido longitudinal. Llevarla a ebullición a fuego lento.

✤ Cortar las peras por la mitad, pelarlas y quitarles el corazón. Cuando el jarabe haga borbotones, sumergir en él las medias peras y dejarlas cocer 30 min., hasta que estén tiernas. Escurrirlas. Encender el horno a 215°C. Fundir la mantequilla en un cacito y dejarla enfriar. Untar con mantequilla un molde para tarta de 24 cm de diámetro.

✤ Con ayuda de una batidora, mezclar la harina, la levadura, los huevos, el resto del azúcar, la mantequilla y la leche, hasta obtener una pasta homogénea. Verterla en el molde. Cortar cada trozo de pera en láminas de 1 cm de grueso y ponerlas sobre la pasta, formando un rosetón a partir del centro. Meter el molde en el horno durante 40 min.

✤ Mientras, reducir el jarabe a fuego vivo, hasta que quede muy espeso. Agregarle la jalea de grosella, dejarlo hervir todavía un momento y añadir el cointreau. Retirarlo del fuego.

✤ Cuando el bizcocho esté a punto, bañarlo con el jarabe y dejarlo cocer 5 min. más. Sacarlo del horno y desmoldarlo sobre una fuente. Servirlo tibio o frío.

6 personas

*Provenza*

# TOURTE AU BLETTES

TARTA DULCE DE ACELGAS

10 grs de mantequilla para el molde
40 grs de pasta dulce (ver pág. 121)

PARA EL RELLENO:
800 grs de acelgas sólo la parte verde
2 huevos
100 grs de azúcar morena

50 grs de queso recién rallado: edam, gouda, emmenthal
100 grs de pasas de corinto
75 grs de piñones
1 cucharadita de ralladura de limón
pimienta

PARA DORAR:
1 yema de huevo
1 cucharada de leche

✤ Encender el horno a 200°C. Untar con mantequilla un molde para tarta. Dividir la pasta en dos partes, una mayor que otra. Extender con el rodillo la mayor y forrar con ella el molde.

✤ Preparar el relleno: lavar las acelgas y, sin escurrirlas, ponerlas en una olla grande. Tapar la olla y ponerla a fuego vivo. Dejar que las acelgas se cuezan en su jugo 5 min. y escurrirlas en un colador. Dejarlas enfriar y exprimirlas un poco con las manos, para que pierdan todo el líquido. Picarlas, no muy finas, con un cuchillo.

✤ Batir los huevos con el azúcar. Agregar el queso, las acelgas, las pasas y los piñones, la ralladura de limón y pimienta. Mezclarlo todo bien y rellenar el molde con esta preparación. Mojar con ayuda de un pincel todo el borde de la pasta. Extender la pasta restante y cubrir con ella el molde. Apretar los bordes de las dos pastas para que sellen.

✤ Batir la yema con la leche y pintar con esta mezcla toda la superficie de la tarta. Meterla en el horno y cocerla 45 min.

✤ Retirar la tarta del fuego y dejarla enfriar 10 min. antes de desmoldarla. Ponerla sobre una rejilla hasta que se enfríe por completo. Servir a temperatura ambiente.

6 personas    *Fotografía en la pág. 6*

# BISCUIT DE SAVOIE
### BIZCOCHO DE SABOYA

10 grs de mantequilla para el molde
20 grs de fécula de patata (papa) para el molde
7 huevos
250 grs de azúcar
100 grs de fécula de patata
100 grs de harina
1 cucharadita de vainilla en polvo
1 cucharada de azúcar glass

✤ Encender el horno a 140°C. Untar con mantequilla un molde para tarta de 24 cm y espolvorearlo con la fécula.

✤ Batir las yemas con el azúcar, con ayuda de una batidora eléctrica, hasta que se blanqueen y tripliquen su volumen. Incorporar la fécula y la harina tamizadas y la vainilla, utilizando una espátula blanda. Batir las claras a punto de nieve y unirlas a la mezcla anterior, removiendo con la espátula de arriba a abajo.

✤ Verter la pasta en el molde y cocerla en el horno 50 minutos. Pasado este tiempo, comprobar si el bizcocho está cocido pinchándolo con un cuchillo por el centro: debe salir seco.

✤ Cuando el bizcocho esté en su punto, apagar el horno y dejar reposar el bizcocho, manteniendo la puerta abierta. A continuación, desmoldarlo sobre una rejilla y dejarlo enfriar antes de servirlo espolvoreado con azúcar glass. La vainilla se puede sustituir por ralladura de limón. Este bizcocho está muy bueno tal cual, pero puede rellenarse con mousse de chocolate, mermelada, crema pastelera, etc. También sirve como base para toda clase de carlotas.

6 personas

# GRENOBLOIS
### PASTEL DE NUEZ

10 grs de mantequilla para el molde
300 grs de mantequilla
250 grs de nueces peladas
6 huevos
200 grs de azúcar
3 cucharadas de ron añejo
1 cucharadita de extracto natural de café
100 grs de pan rallado
100 grs de azúcar para el caramelo
½ cucharadita de zumo de limón
nueces peladas para decorar

✤ Encender el horno a 200°C. Untar con mantequilla un molde para tarta de 24 cm de diámetro. Fundir la mantequilla en un cazo y dejarla enfriar. Rallar finamente las nueces.

✤ Cascar los huevos y separar las claras de las yemas. Añadir 150 grs de azúcar a las yemas y batirlas hasta que se empiecen a blanquear y dupliquen su volumen, 10 min. Agregar la mantequilla, el ron y el extracto de café. Mezclar bien antes de añadir el pan rallado y las nueces.

✤ Batir las claras a punto de nieve y agregar el resto del azúcar, sin dejar de batir, hasta que queden lisas y brillantes. Añadir las claras batidas removiendo de arriba a abajo con una espátula. Pasar la masa al molde y cocerla en el horno 35 min., hasta que el bizcocho se dore.

✤ Mientras, se prepara un caramelo: se hierve el azúcar con 1 dl de agua y el zumo de limón hasta que adquiera un tono ambarino.

✤ Cuando el bizcocho esté cocido, sacarlo del horno y desmoldarlo. Rociar con el caramelo, decorar con nueces y enfriar antes de servir.

8 personas

BIZCOCHO DE SABOYA (ARRIBA) Y PASTEL DE NUEZ (ABAJO)

# RECETAS BÁSICAS

## BOUILLON DE VOLAILLE
CALDO DE POLLO

2 kg de carcasas (huesos) y despojos de pollo
1 zanahoria
1 rama de apio
1 puerro (poro)
1 cebolla pequeña
1 clavo de especia
1 pizca de tomillo seco
1 hoja de laurel
½ cucharada de sal gorda
12 granos de pimienta negra

✤ Lavar carcasas y despojos. Pelar la zanahoria y lavarla junto con el apio y el puerro. Pelar la cebolla y pinchar en ella el clavo. Poner las carcasas y despojos en una olla grande con 2 l de agua fría y llevarlo a ebullición a fuego lento. Espumar el caldo. Añadir las verduras, el tomillo, el laurel, la sal y la pimienta. Dejar hervir el caldo suavemente durante 2 h, con la olla medio destapada. Pasado este tiempo, filtrar el caldo. Se habrá reducido a 1½ l de excelente caldo, fino y aromático.
✤ Este caldo se emplea en la preparación de muchos platos. Se puede conservar congelado en varios recipientes pequeños.

Rinde aproximadamente 1.2 litros

## PÂTE BRISÉE
PASTA QUEBRADA

150 gr de harina
100 gr de mantequilla blanda
1½ cucharadas de agua
½ cucharadita de sal

✤ Conviene preparar la pasta el día anterior para que pierda toda elasticidad y se extienda muy fácilmente.
✤ Poner la harina, la mantequilla, la sal y el agua en el recipiente de un robot (procesador) de cocina. Mezclar durante 30 seg., hasta que la pasta forme una bola. Meter esta pasta, sin trabajarla, en una bolsa de plástico y guardarla en el frigorífico. Sacarla y dejarla reposar 1 h a temperatura ambiente antes de extenderla sobre una masa enharinada.
✤ Cuando ya se tiene el molde cubierto con la pasta es conveniente meterlo 1 h en el frigorífico.

Rinde aproximadamente 250 gramos

## PÂTE À CHOUX
PASTA PARA CHOUX

¼ l de agua
1 cucharadita de sal
2 cucharaditas de azúcar
100 de mantequilla
150 grs de harina cernida
5 huevos

✤ Poner el agua, la sal, el azúcar y la mantequilla en una cacerola a fuego lento y al primer hervor retirarla. Incorporar la harina en forma de lluvia, moviendo rápidamente con una espátula. Volver a poner la cacerola a fuego lento y mover 1 min. hasta que la pasta se despegue. Retirar del fuego y añadir los huevos uno a uno; cada huevo debe incorporarse antes de añadir otro. Cuando se ha echado el último, la pasta no debe moverse más.
✤ Cuando la pasta esté a punto, se puede utilizar con una manga pastelera o conservarse varios

días en la nevera en una bolsa de plástico.

✤ Los *choux* se cuecen a horno fuerte 15 min. y después a horno suave. Después deben reposar 5 min. con el horno apagado y la puerta entreabierta para que no se bajen.

Rinde aproximadamente 800 gramos

## PÂTE SUCRÈE

### PASTA DULCE

125 grs de mantequilla blanda
100 grs de azúcar
1 huevo
250 grs de harina
2 pellizcos de sal

✤ Poner la mantequilla en un cuenco, añadir el azúcar y batir con una espátula hasta que la mezcla blanquee. Añadir el huevo y remover 30 seg; añadir la harina y sal. Continuar trabajando hasta lograr una pasta homogénea.

✤ Pasarla a la mesa y trabajarla: debe aplastarse con la palma de la mano, después se le da forma de bola y se vuelve a aplastar, hasta que quede lisa y elástica, 5 min.

✤ Meter la bola en una bolsa de plástico y dejarla reposar en el frigorífico 2 h. Cuando vaya a utilizarse debe sacarse 1 h antes. Si sobra, se puede refrigerar 4 días. Esta pasta puede cocerse con su relleno sin que se estropee porque al llevar huevo es impermeable.

✤ También se puede cocer sola, en moldes grandes o pequeños, cubierta con un papel engrasado sobre el que se ponen garbanzos o judías (frijoles), llenos por completo o hasta la mitad; en el primer caso se vuelven a cocer una vez rellenos. En el segundo se rellenan como se desee.

Rinde aproximadamente 500 gramos

## PÂTE À PAIN

### MASA DE PAN

1 cucharadita de azúcar
1 sobre de levadura liofilizada de 8 gr
500 gr de harina
1½ cucharaditas de sal
1½ dl de leche tibia

✤ En un vaso de 2 dl de capacidad disolver el azúcar con 1 dl de agua templada. Añadir la levadura en lluvia, mezclar bien y dejarla reposar en un lugar caldeado, 10 min., para que suba hasta alcanzar los bordes del vaso. Después, tamizar la harina sobre la mesa y espolvorearla de sal. Mezclar y formar un hueco; poner en él la leche y el contenido del vaso.

✤ Trabajando de prisa con los dedos desde el centro al exterior mezclar todos los ingredientes y formar una bola con la pasta. La masa debe trabajarse de la manera siguiente: se pone en la parte más alejada, se dobla en dos, se gira 90° en sentido contrario a las agujas del reloj y se repite la operación. Seguir trabajando así 10 min., hasta que la pasta se despegue de los dedos.

✤ Poner la masa en una ensaladera enharinada y cubrirla con un paño, dejándola reposar en un lugar templado hasta que suba. Debe aumentar el doble en 1 h y media más o menos.

✤ Pasado este tiempo, aplastar la pasta con un golpe seco de la mano y trabajarla como la primera vez. Entonces ya está lista para su empleo. Se puede formar un pan o varios panecillos o usarla como fondo de tartas y pasteles. Ésta es la receta más sencilla, pero puede prepararse con harinas mezcladas, enriquecerse con huevos, aceite o mantequilla o aromatizarse con especias.

Rinde aproximadamente 750 gramos

# PÂTE FEUILLETÉ

## PASTA DE HOJALDRE

500 gr de mantequilla
500 gr de harina
1 cucharadita de sal
¼ l de agua

✤ Sacar la mantequilla del frigorífico 1 h antes de preparar la pasta. Trabajarla en una ensaladera grande con una espátula para que se suavice y reblandezca. Tamizar la harina sobre la mesa. Hacer un hueco en el centro y poner en él la sal y tres cuartas partes del agua. Trabajar la harina con una mano, con la punta de los dedos, llevándola del borde al centro con la otra. Añadir poco a poco el resto del agua (la cantidad de agua varía mucho, según la calidad de la harina y su capacidad de absorción) sin dejar de trabajar, hasta lograr una pasta con la consistencia de la mantequilla ya preparada. La pasta obtenida se llama *détrempe* (destemplada). Formar una bola con ella y dejarla reposar 15 min.

✤ Pasado este tiempo, extender la *destemplada* sobre la mesa enharinada con un rodillo de amasar, formando un disco de unos 2 cm de espesor y 15 cm de diámetro. Poner la mantequilla en el centro del disco, dándole un espesor de 2 cm con los dedos húmedos. Doblar los bordes de la pasta sobre la mantequilla, procurando que se estire 2 cm, obteniendo una especie de paquete de mantequilla, es lo que se llama el *pâton*. Espolvorear de harina el *pâton* y el rodillo y estirar la pasta hasta formar un rectángulo de 30 x 10 cm: el rodillo debe apoyarse con delicadeza en el centro del *pâton* para que la pasta se deslice sin pegarse y sin que se salga la mantequilla.

✤ Comienza la operación de *desdoblado*. Se toma el borde inferior de la pasta y se forma un doblez que llega a 10 cm del borde opuesto. Se apoya ligeramente el rodillo sobre este pliegue. Se vuelve a plegar sobre el último tercio de la pasta, procediendo de la misma manera. Ésta es la primera vuelta de la pasta. Las vueltas se dan de dos en dos, pero cada vez hay que hacer girar la pasta 90º en el sentido de las agujas del reloj; los dobleces ya no son de arriba a abajo, sino de izquierda a derecha. Aplastar de nuevo la pasta y volverla a plegar en tres, como la primera vez: ya tenemos otra vuelta.

✤ Con el pulgar y el índice se hacen unas marquitas en el centro del rectángulo para indicar que la pasta tiene dos vueltas. Cubrirla con un paño y dejarla reposar 20 min. en el frigorífico.

✤ Pasado este tiempo, dar dos vueltas a la pasta, procediendo como antes e imprimir cuatro marquitas con los dedos. La pasta de hojaldre clásica lleva seis vueltas y es aconsejable dar las dos últimas en el momento de utilizarla. La pasta con cuatro vueltas debe reposar 20 min., pero puede conservarse 48 h en el frigorífico antes de utilizarla.

✤ Cuando la pasta tiene seis vueltas, ya se puede extender con el rodillo para utilizarla como se desee. Para que el hojaldre suba bien durante la cocción, hay que cortar la pasta manteniendo el cuchillo en vertical, para no quebrar las "hojas" de la pasta. Siempre debe cocerse sobre una placa mojada sin engrasar.

Rinde aproximadamente 1.200 kilogramos

# GLOSARIO

No todos los términos del glosario aparecen en las recetas, pero cada uno ofrece un poco de información interesante sobre la cocina y la comida francesas.

ACEITE DE OLIVA: También se llama aceite de primera expresión; es el extraído de la primera exprimidura de la aceituna por procedimientos mecánicos. Es un producto natural, ideal tanto para las ensaladas como para cocinar.

ACEITUNAS: Verdes o negras, siempre se curan en salmuera. Se venden marinadas en aceite o en salmuera. Las Niçoise son muy pequeñas, maceradas en aceite y se preparan en la región de Niza.

AJO: Hay que distinguir entre el ajo y el ajo tierno o ajete. El segundo llega a los mercados hacia el mes de mayo y dura hasta septiembre; su aspecto es el de un pequeño bulbo blanco o violáceo, provisto de un largo tallo verde. Una vez pelado, es blanco, dulce, afrutado y se digiere bien, ya que no tiene germen. A medida que se seca, su sabor es más fuerte y picante. Unidos en ristras se conservan durante todo el año. En el mes de octubre se desarrolla en el centro de cada diente un gérmen de color verde claro; es indigesto y se debe quitar antes de utilizar los ajos.

ALBAHACA: Esta hierba simboliza la cocina mediterránea desde la invención del *pistou*. Hay distintas variedades, con hojas de diferente tamaño y con sabor más o menos pronunciado. La hierba de hojas rojizas se emplea como adorno.

ALCACHOFA: Hay que mencionar las gruesas alcachofas bretonas que se toman cocidas y las alcachofas moradas de Provenza, tan sabrosas cocidas como crudas.

ANCHOAS, EN SALAZÓN/EN ACEITE: Las anchoas en salazón son anchoas frescas conservadas en salmuera. Se venden al peso. Las anchoas en aceite son también una salazón, pero están hechas filetes, y una vez desaladas se conservan en aceite. Se venden en latas o tarros.

*ARAIGNÉE:* Cangrejo de patas largas (el término significa cangrejo araña) que se pesca en el Mediterráneo y en el Atlántico, sobre todo en Aquitania y la región vasca. Es firme, de fina textura y carne delicada, por lo que es muy apreciado.

ARMAÑAC: Vino espirituoso destilado del vino que se produce en Gasconia, sobre todo en el departamento de Gers. La región se divide en tres áreas de producción: Bas-Armagnac, donde se elabora el mejor brandy; Ténéraze, con sus brandies fragantes, y Haut-Armagnac, cuyos brandies tienen un sabor menos definido. El armañac que se etiqueta *monopole, selection* o *trois étoiles* (tres estrellas) se ha añejado por lo menos un año; "VO" (*very old*, muy añejado), "VSOP" (*very superior old pale*, excelente añejamiento) o *réserve* (reserva) añejado durante por lo menos cuatro años, y *extra, napoléon, vieille réserve* o *hors d'âge* cuando tiene más de cinco años. El armañac es excelente para tomarse después de comer y se emplea en muchos platos y postres debido a su aroma.

AZÚCAR CON VAINILLA: Es el azúcar refinada y saborizada con vainilla natural; cuando se emplea saborizante artificial de vainilla se llama vainillina. Si no se encuentra, se puede preparar: para ½ taza (125 gr) de azúcar se añade 1 cucharada de vainilla en polvo o una vaina partida en dos; se conserva la mezcla en un recipiente hermético durante varios meses.

*BOUQUET GARNI:* Combinación de hierbas atadas formando un ramito que se emplean para dar sabor a caldos y otros platos. La combinación básica incluye tomillo, laurel y perejil, pero según la región y el tipo de plato puede contener también apio, hinojo, puerro (poro) y cascarilla de naranja.

*BROUSSE DE BREBIS:* Es un queso de leche de oveja. Se consigue fresco o empacado. Es blanco, suave, ligero y sabroso. Se emplea tanto para preparar platos salados (rellenos y tartas) como para postres (pasteles, mousses, carlotas).

CALDO: Se utiliza tanto para cocer unos filetes de pescado como para cocer unos medallones de carne, para hervir un arroz o hacer una sopa. Los caldos preparados con pastillas, cubitos o extractos suelen tener poco aroma. Si se dispone de tiempo, es preferible prepararlos en casa. Se pueden congelar en recipientes pequeños para usarlos cuando sea necesario.

CALVADOS: Vino espirituoso destilado en Normandía a partir de la sidra. Es estupendo para cocinar y da un toque de sabor a manzana a los pasteles y pastas. En Bretaña y Normandía sirven *café-calva:* el calvados viene con el café y se toma después o se echa dentro de la taza.

CANGREJO: Existen muchas variedades de cangrejos que parecen langostas pequeñas. El más famoso y sabroso es el de patas rojas. Por desgracia es cada vez más escaso y muchas veces es importado o cultivado.

*CANTAL:* Queso con un contenido de materia grasa de un 45%, originario de Auvernia, de pasta semidura y preparado con leche de vaca. Se presenta en cilindros de 40 cm de diámetro y 40 cm de altura y alrededor de 40 kgs de peso. Su corteza gris oculta una pasta blanquecina, firme y agrietada, de sabor ligeramente picante.

CHALOTAS: Existen dos tipos: las rosadas y las grises; las primeras son las más comunes aunque tienen menos sabor y aroma que las otras. Las segundas son de color gris-café y tienen muchas capas de piel.

COÑAC: Vino espirituoso destilado del vino en la región de Cognac. Se etiqueta *trois étoiles* (tres estrellas) si se ha añejado durante dos años; "VO" *(very old,* muy viejo), "VSOP" *(very superior old pale,* excelente añejamiento) o *réserve* cuando tiene cinco años y *extra, napoléon* o *vieille réserve* cuando se ha añejado durante más de siete años. Es excelente para después de comer y también se emplea para preparar platos salados y dulces. El *fine champagne* o licor de coñac es una mezcla de las dos primeras cosechas de coñac *(Grande champagne* y *Petite champagne)* y tiene por lo menos 50% de la primera.

CORTEZA DE CERDO: Hay que quitarle la grasa y blanquearla antes de usarla. Proporciona una rica consistencia gelatinosa.

COSTRONES: Trocitos de pan fritos en mantequilla o aceite, o simplemente tostados.

CREMA FRESCA: Crema con un ligero toque amargo. Se puede preparar mezclando 2 cucharadas de nata con 2 tazas de crema espesa y dejándolo reposar toda la noche; después se bate y se refrigera.

*CRÉPINE:* Fina membrana con venas de grasa que recubre los órganos internos del cerdo. Se emplea para envolver terrinas y patés y hay que lavarla con agua caliente, para que se suavice, antes de usarla. Se puede sustituir, en algunas recetas, por tocino.

CUATRO ESPECIAS *(QUATRE-ÉPICES):* Mezcla de especias empleada en Francia para dar sabor a terrinas, patés y productos de salchichonería. Se prepara con cantidades iguales de pimienta blanca, nuez moscada, clavo y jengibre molidos. Se añade, a veces, guindilla (chile), canela o macís.

*EMMENTHAL:* Queso de pasta dura, con un 45% de materia grasa, que se hace con leche de vaca en el Franco-Condado y Saboya. Se presenta en enormes piezas de 80 cm de diámetro y 25 cm de altura, que llegan a pesar 90 kgs. Su corteza amarilla y lisa esconde una pasta de sabor dulce y afrutado, salpicada de grandes agujeros.

*FAISSELLE:* Queso fresco de leche de vaca que se vende en una especie de colador, para que drene.

FRIJOLES: Las habas son muy apreciadas en el sur de Francia. Se encuentran frescas en el verano y el otoño, de color verde y con una cascarilla que debe quitarse antes de comerlas, ya sea crudas o cocidas. También las hay secas y es necesario remojarlas antes de cocinarlas.

*HARRICOTS VERTS:* Habichuelas verdes que se cultivan en el Valle del Loira y en Provenza. Se consumen al final del verano y principios del otoño. Las más pequeñas son más sabrosas.

*FLAGEOLETS:* Pequeños frijoles de delicado color verde que se pueden comprar frescos al final del verano y principios del otoño, o secos —en tal caso hay que remojarlos toda la noche antes de cocinarlos. Se pueden sustituir por judías blancas o frijoles mantequilla.

GRASA DE OCA: Es la grasa que se encuentra en el interior de las ocas, que se funde antes de ser filtrada. Se utiliza mucho en la cocina del suroeste. Se comercializa en tarros y latas. Después de utilizada se puede filtrar y aún se conserva un mes si se mantiene en el frigorífico en un tarro herméticamente cerrado. De todas maneras, se enrancia con facilidad.

HIERVAS DE PROVENZA: Mezcla de hierbas secas: tomillo, romero, laurel, ajedrea y espliego.

HONGOS CULTIVADOS: Los champiñones blancos o color de rosa de París se pueden comprar todo el año. Siempre hay que elegir los más frescos, con los sombreros fijos al tallo. Tanto los grandes como los pequeños son excelentes; los últimos se emplean para platos salteados y los grandes para hacer rellenos.

HONGOS SILVESTRES: Crecen en campos y bosques y se encuentran en los mercados durante el verano y el otoño. Entre los más conocidos están las *cèpes* (boletus o *porcini*, de los que hay muchas variedades), los *girolles* o *chanterelles* de color naranja, los *pleurotes* (que actualmente se cultivan) y desde luego las trufas (ver). Suelen servirse como verduras, salteados con ajo o chalota y a veces con crema. También añaden sabor a guisos y platos hervidos. Pueden sustituirse por hongos secos.

LANGOSTINOS: Pequeños crustáceos marinos que los italianos llaman *scampi;* se pescan todo el año en la costa atlántica. La cola, de 15 a 30 cm, tiene una carne delicada; las pinzas generalmente no tienen carne. El caparazón rojo o asalmonado del langostino casi no cambia de color al cocerlo.

MANTEQUILLA: Ingrediente muy importante en la cocina francesa. Es deliciosa la hecha con leche sin pasteurizar, aunque poco frecuente. Hay que diferenciar la mantequilla sin sal de la *demi-sel* o ligeramente salada, que es una especialidad bretona. Las mejores mantequillas proceden de Normandía, Charentes y Deux-Sèvres.

*MARC:* Después de prensar las uvas para elaborar el vino, queda una masa de semillas y ollejos que se destila para hacer un licor llamado *marc*. Según las regiones, el *marc* tiene un sabor distinto, como *marc de Bourgogne* o *marc de Champagne*.

MASA DE PAN: Puede hacerse en casa y guardarse refrigerada. En Francia puede comprarse lista en las panaderías para hacer pan, tartas dulces o saladas y pastelillos como los *brioches*.

PASTA PARA GALLETAS: Contiene harina, mantequilla, huevos, azúcar, sal y agua. Es delicada y se desmorona. Es grasosa e ideal para galletas. Se puede enriquecer con almendras o ralladura de limón.

PASTA QUEBRADA: Se prepara con harina, mantequilla, sal y agua o leche. Es la pasta francesa más sencilla, elástica y firme. Se usa en platos dulces y salados sin precocerla. También se puede enriquecer con huevos.

PIMIENTA DE CAYENA: Fino polvo rojo, obtenido de los frutos secos y pulverizados del pimiento de cayena. Estos pimientitos, largos, puntiagudos y muy picantes, se llaman *piment-oiseaux* en las Antillas.

*PORC DEMI-SEL* o *PORC SALÉ:* Casi todos los cortes del cerdo, como costillas, cola, patas, orejas, se salan. En el sur la panza salada se denomina *petit salé*. La salazón se hace con una salmuera que contiene sal, agua y azúcar, ya sea por inmersión o mediante la inyección. El tiempo varía de uno a seis días y a mayor lapso, más salada será la carne. La carne salada durante un día requiere ser enjuagada, pero si ha permanecido varios días en salmuera, debe remojarse 12 h con varias aguas; también puede blanquearse 15 min. en agua hirviendo y luego se enjuaga antes de cocinarla. La carne se puede salar en casa frotándola con sal gorda (aromatizada con tomillo, romero, laurel o pimienta) y luego cubriéndola con sal y dejándola unos seis días en el refrigerador. Hay que tener cuidado de que esté siempre cubierta de sal. Se enjuaga y se remoja o se blanquea antes de cocinarla.

PRALINÉ: Almendras cocidas en caramelo. Una vez hecha la preparación, se extiende, sobre un mármol. Cuando está fría, se pica más o menos finamente.

QUESOS: La variedad de quesos franceses es demasiado numerosa para enlistarla. Algunos se emplean como toque final de un plato, como el gruyère o el parmesano, que se espolvorean sobre la pasta o los rellenos. Otros son parte principal de una receta; en Saboya el queso *comté* se usa en el famoso soufflé y en platos a base de pollo. Las recetas de cada región tienen sus favoritos: Beaufort, queso de cabra; *tomme* (elaborado con leche de vaca, cabra u oveja) o roquefort (de leche de oveja y con venas azules).

SALCHICHAS: Hay dos tipos; las secas, que se comen tal cual, cortadas en rodajas, como aperitivo o en sandwiches. Las que se emplean en la cocina están hechas con carne molida y grasa a la que se pueden agregar trufas o pistachos; pueden ser ahumadas o sin ahumar. Siempre es necesario pincharlas con un tenedor antes de cocerlas en agua durante 20 min.

TRUFAS: Hay dos tipos: blancas y negras. Las blancas son raras en Francias; crecen bajo los robles y tilos a una profundidad de 5 a 50 cm, parecen una patata y su color va del gris al ocre. Son delicadas y tienen un sabor delicioso. Las trufas negras, conocidas como los "diamantes negros" de la cocina, miden unos 15 cm de diámetro y están cubiertas por pequeñas berrugas piramidales. Crecen espontáneamente y maduran durante el invierno bajo los robles, fresnos y avellanos. Actualmente se cultivan en Vaucluse y Perigord, donde se siembran robles. Fragantes y deliciosas, son la base de platos para ocasiones especiales. Pueden conseguirse embotelladas o enlatadas.

UVAS DE MÁLAGA: Grandes uvas negras que se secan en racimos. Son dulces y sabrosas.

*VENTRÈCHE:* Panceta de cerdo salada, adobada y enrollada. Se corta en lonchas (rebanadas) finas como la panceta ahumada y se utiliza sobre todo en el suroeste.

VERMOUTH: Vino con 18% de alcohol, aromatizado con hierbas. Se elabora rojo o blanco, dulce o seco. El blanco seco es el más usado en la cocina.

VINAGRETA: Es una mezcla de aceite y vinagre o jugo de limón, a la que se suele añadir sal y pimienta. Se utiliza principalmente para aderezar ensaladas y verduras crudas, pero también acompaña carnes y pescados en frío. Se pueden añadir chalotas o cebollas picadas, hierbas de olor, ajo machacado, filetes de anchoa, huevo cocido picado, *tapenade* o mostaza. Se pueden preparar con distintos tipos de aceite —de oliva, cacahuete, nuez— y de vinagre —de vino, sidra o con hierbas.

# Índice